OCCULTISME : EXERCICES ET PRATIQUE

Dans la même collection

GARETH KNIGHT

OCCULTISME : EXERCICES ET PRATIQUE

Traduit de l'anglais par
Corine Derblum

Collection
Développez vos pouvoirs par...
Éditions Garancière
11, rue Servandoni
PARIS

Titre original :
Occult exercises and practices

© 1982, The Aquarian press
© Éditions Garancière 1986 pour la traduction française

ISBN : 2-7340-0127-6

1

Les quatre « mondes »
de l'occultisme

Les systèmes visant au développement spirituel sont nombreux et variés, et il n'est pas bon de les mélanger. Il est cependant très difficile pour un étudiant de déterminer celle des diverses méthodes, et celui des nombreux enseignants, occidentaux ou orientaux, qui lui conviendront. Car une seule voie sera faite pour lui, et c'est à lui qu'il incombe de la découvrir.

Il existe cependant des ressemblances fondamentales entre les différents systèmes, et le but de ce livre est de faire apparaître les principes généraux, d'ordre pratique, que tout étudiant intéressé par ce domaine peut utiliser avant de poursuivre son apprentissage et d'atteindre un niveau plus approfondi, grâce au système de son choix.

Tous les chemins ont la même destination, mais ils diffèrent dans leurs phases initiales et intermédiaires, leur symbolisme, et l'accent qu'ils mettent sur les divers aspects ou niveaux du développement.

Les quatre « mondes »

Les exercices sont répartis en quatre chapitres correspondant aux quatre « mondes » reconnus par l'occultiste. Il s'agit du monde physique, qui comprend les systèmes éthériques ou vitaux assurant la cohésion de ce monde ; le monde astral, celui de l'imagination, où s'accomplit la majeure partie des manifestations magiques (au sens où ce terme est généralement compris) ; le monde mental supérieur de l'intuition, dont les techniques essentielles sont liées à la méditation ; et le monde spirituel, qui est le monde des archétypes, des principes fondamentaux et de la contemplation de la foi.

Chacun d'eux est également saint, chacun d'eux doit être développé par le futur adepte de l'occultisme s'il veut être digne de ce titre, et il est fort dommage que trop d'écoles occultes privilégient de manière excessive un domaine plutôt qu'un autre.

Ceux qui apprécient la voie physique et astrale sont enclins à développer une forme de psychisme qui, bien que sous sa forme supérieure elle soit utilisée à certaines fins comme la divination ou la guérison, n'est pas dirigée vers le spirituel et ignore l'importance de la perception intuitive. En revanche, ceux qui accordent trop de valeur aux domaines spirituel et mental ont tendance à faire preuve d'un idéalisme extrême et de principes irréprochables, mais n'ont acquis aucune connaissance de la magie.

Ceux qui se jugent hautement « spirituels » ne se rendent souvent pas compte que le plan spirituel peut être aussi ouvert au mal et à la folie que le plan mental, astral ou physique, ce que démontre généralement l'extrême pharisaïsme, le sectarisme et la nature exclusive de ce type d'individus ou de groupes — qui tendent à se considérer comme « plus évolués » que leurs frères inférieurs. Mais en réalité, ils se trompent tout autant que ces extrémistes qui, dans le camp opposé, ne pensent qu'au moyen d'obtenir quelque chose sans rien donner en retour, en recourant à la sorcellerie ou à la thaumaturgie.

En ce qui concerne la Bible, on trouve d'une part les Pharisiens occultes et de l'autre Simon, le mage. Les deux catégories d'ésotérisme représentées, du fait qu'elles vont à l'extrême, sont en général inefficaces pour le bien comme pour le mal, car la voie occulte est celle qui passe par le juste milieu et un développement égal de tous les plans est essentiel à l'efficacité de la démarche.

Une égale sainteté

Afin d'accentuer l'égalité de tous ces niveaux et d'éviter l'assomption fréquente, tacite ou même inconsciente, que les niveaux dits « supérieurs » sont plus élevés que les niveaux inférieurs, nous commencerons nos exercices par le plan physique et poursuivrons notre étude en montant d'un niveau à l'autre.

Le plan physique, c'est celui sur lequel notre conscience est centrée dès la naissance de la même façon qu'aujourd'hui, et il aura fallu de très nombreuses années d'enfance et d'adolescence pour atteindre l'équilibre et la maîtrise de ce plan. Celui-ci devrait donc constituer notre point de départ, car en permettant à la conscience objective d'accéder aux autres mondes nous ne ferions qu'accroître notre confusion si nous ne dominons pas le plan physique.

Une autre source d'erreur commune, dans l'occultisme, est l'insuffisance de la distinction entre les domaines objectif et subjectif, et il arrive qu'on fasse de grand pas dans le développement occulte sans se trouver pour autant plus proche de Dieu, ce

qui est, après tout, le but de notre existence.

Il se peut qu'en accédant aux facultés
intérieures, on devienne plus conscient des
profondeurs subjectives qui existent en
deçà de la conscience quotidienne, de
même qu'une masse énorme se dissimule
sous la partie émergée de l'iceberg, et que
l'on réussisse aussi à entrer en harmonie
avec le « dieu intérieur », mais ce n'est pas
forcement la même chose que de prendre
conscience — et de coopérer avec — les
hôtes intérieurs, ni que de créer une relation personnelle avec le Dieu vivant.

Prière

Par conséquent, nous ajoutons un chapitre final sur la prière qui, contrairement à
l'opinion mal informée, est distincte des
techniques occultes mais peut se pratiquer
à tous les niveaux connus de l'occultisme,
et selon des méthodes très similaires à
certains exercices ésotériques.

C'est certainement l'un des devoirs de
l'occultiste de porter le ministère du Christ
dans des mondes dont le chrétien ordinaire
ne soupçonne pas l'existence.

2

Exercices physiques

Relaxation

La relaxation joue un rôle fondamental dans tout travail occulte, car les sens intérieurs ne peuvent être utilisés correctement s'il demeure une tension psychologique, consciente ou non.

L'esprit est étroitement lié au corps, et l'on s'apercevra qu'une relaxation corporelle volontaire et systématique décontracte les tensions internes en préparant ainsi à des activités intérieures utiles.

La première chose à faire est de s'étendre sur une surface dure. Le fait que la surface soit dure servira à révéler, de manière incontestable, votre manque de relaxation. Aspirez profondément à plusieurs reprises, un peu comme si vous soupiriez, puis commencez à relâcher délibérément votre corps, muscle après muscle.

C'est une bonne idée que de débuter par

la tête, pour descendre lentement le long du corps en commandant mentalement à chaque muscle de se relâcher. Ensuite, lorsque vous aurez travaillé sur tout le corps, revenez à la tête et voyez si les muscles se sont recontractés entre-temps. L'ensemble du corps devrait être ainsi contrôlé plusieurs fois, jusqu'à ce qu'il n'existe plus aucune tension consciente.

Pour faciliter la tâche, on peut visualiser le sang s'épandant dans les muscles difficiles à relâcher, et sentir ce sang rouge, pur et oxygéné nettoyer le corps des tensions et de la fatigue qui l'empoisonnent, en recréant un équilibre et une saine décontraction. Allez toujours du haut vers le bas du corps, car les tensions se déversent à l'extérieur, et il peut être efficace d'imaginer les contraintes s'écouler par le bout des doigts et des orteils.

On a la preuve d'une totale relaxation si lorsque quelqu'un soulève l'un de vos membres, celui-ci retombe sur le sol, inerte. Si l'on ne dispose d'aucune aide extérieure, une bonne manière physique de s'assurer du relâchement du corps est de soulever chaque membre tour à tour, très doucement, aussi doucement que possible, et de le laisser retomber dans sa position de repos, en laissant agir la force de gravité.

La respiration

Les exercices respiratoires forment une grande part de certains types d'occultisme, particulièrement en Orient. La capacité de respirer profondément et convenablement selon un mode rythmique est essentielle, bien que certaines des techniques plus compliquées doivent être évitées à ce stade.

La respiration rythmique améliorera les facultés de relaxation, favorisera l'apaisement et la concentration de l'esprit, en constituant la base du travail de visualisation et de méditation, et résultera aussi en des effets bénéfiques, car nous avons tendance à mal utiliser nos poumons la plupart du temps.

L'élément essentiel de la technique respiratoire, c'est de ne pas forcer, surtout par une constriction de la gorge. Aucun effort ne doit être excessif. L'air devrait d'abord être aspiré jusqu'au fond des poumons, grâce à la méthode simple qui consiste à pousser l'abdomen vers l'extérieur (en abaissant le diaphragme) ce qui permet ainsi à l'air d'être pompé naturellement par les poumons jusqu'à ce qu'ils soient totalement remplis. Prenez conscience du passage de l'air dans la gorge supérieure plutôt que dans le conduit nasal

— cela sera plus efficace du point de vue occulte.

Il faudrait conserver l'air dans les poumons pendant quelques instants, en gardant le diaphragme baissé et la cage thoracique gonflée ; si l'on donne une petite tape brusque au thorax, on devrait provoquer l'expulsion d'une partie de l'air absorbé, preuve que rien dans la gorge ou la bouche ne fait obstruction.

Pour expirer, rentrez l'abdomen (remontez le diaphragme) afin que l'air soit chassé naturellement et totalement des poumons. Retenez votre souffle en utilisant les muscles du diaphragme et du thorax.

Respiration en quatre étapes

La respiration en quatre étapes est généralement la plus utile. Elle consiste à inhaler lentement en comptant jusqu'à huit ; à retenir son souffle en comptant jusqu'à quatre ; à expirer en comptant quatre temps ; et à bloquer les poumons pour qu'ils restent vides, sur quatre temps. La vitesse à laquelle on compte varie en fonction du goût personnel.

Il est extrêmement important d'éviter de forcer sa respiration, ce qui créerait une sensation de vertige.

On pourra effectuer la respiration rythmique tout en se relaxant, l'intégrant aux exercices physiques, ou à un quelconque moment de la journée, dans n'importe quelle position, éventuellement même lors d'une promenade. On l'utilisera également avec profit avant tous les exercices mentaux et imaginatifs qui seront décrits ultérieurement.

Si elle est faite avec soin, elle provoquera une impression de bien-être général, le corps semblant vibrer tout entier de puissance bénéfique. La sensation ne peut tromper, une fois qu'on en a fait l'expérience — mais il faut qu'elle soit ressentie profondément, et véritablement.

Les exercices de relaxation et de respiration sont au fondement de toute pratique de l'occultisme et devraient être exécutés avec sérieux et assiduité, non seulement en vue du travail à venir, mais pour eux-mêmes et les bienfaits physiologiques qui en dériveront.

Note : La relaxation et la respiration rythmique devraient être pratiquées avant la plupart des exercices décrits dans ce livre. Il est essentiel, avant de commencer tout travail occulte, que l'organisme fonctionne de manière harmonieuse et rythmée.

Dans le travail occulte on a affaire la plupart du temps à des images produites par l'imagination, qui proviennent dans leur majorité des expériences de la vie quotidienne. Notre travail intérieur ne se trouvera donc que mieux de ce que nous ayons pleinement utilisé nos sens physiques. Entraînez-vous à vraiment regarder les choses, comme le font les enfants. Appréciez-en la couleur, la texture, la forme, le poids, l'odeur, et les sensations qu'elles suscitent au toucher.

Cela n'a rien d'un procédé intellectuel, en fait l'intellect devrait rester latent. C'est une simple prise de conscience, et l'usage maximal des pouvoirs de l'observation matérielle. Cela enrichira votre imagination dans une mesure considérable.

Il est très facile de tomber dans les clichés. En réponse à la question « De quelles couleurs sont les feuilles de cet arbre ? », ne vous contentez pas de dire : « Vertes ». Sortez, allez observer un arbre, contemplez les multiples teintes différentes de vert dont ses feuilles peuvent se parer. Allez aussi voir le ciel, en particulier à l'aube et au crépuscule, pour en apprécier réellement la couleur. Nombre de couleurs du plan astral objectif n'ont aucune contrepartie matérielle, sinon ces formes radieuses de couleur physique.

Sensation d'inexistence de la tête

Une extension du développement de la prise de conscience sensorielle libre de tout préjugé intellectuel se retrouve dans une technique définie par ses partisans comme la sensation de ne pas avoir de tête. Elle fut découverte par Douglas Harding qui a écrit un petit livre à ce sujet, publié par la Buddhist Society of London, et intitulé « On Having No Head, A Contribution to Zen in the West ».

Il existe diverses méthodes d'induction de cet état de conscience, qui semble plus facile à atteindre aux personnes jeunes, bien que ces dernières paraissent en général le juger moins remarquable que les personnes parvenues à la maturité ou à la vieillesse, qui se sont enveloppées d'un carcan de préjugés relatifs aux objets et à elles-mêmes au fil des ans, et qui pourraient donc ressentir une grande impression de liberté et de vivacité de perception, telle qu'elles n'en avaient pas connue depuis leur prime jeunesse.

Cette notion est présentée des plus clairement au cours des sessions expérimentales que l'on appelle des « ateliers », par quelqu'un qui est déjà « ouvert » à cette idée, mais il n'est aucunement impossible de développer cette faculté par soi-même. Il suffit simplement de rejeter tous les préjugés que l'on a sur soi, qui nous assimilent à des objets existant dans un monde étranger, et de considérer le monde de l'expérience comme une entité subjective. Cela aide à comprendre que le monde de perception environnant n'existe que parce qu'on en a conscience. C'est vous qui êtes l'univers entier. Tout ce qui existe est en vous. C'est vous qui le créez constamment, à tout moment.

Un trou dans l'espace

Cette position philosophique n'est pas atteinte par la réflexion, car elle transcende la pensée « objective ». On en prend conscience simplement en oubliant son propre visage, en le considérant comme un trou dans l'espace. Imaginez que votre visage n'existe pas, qu'il est un judas à travers lequel on voit l'univers. Si vous vous promenez, à pied ou en voiture, essayez de voir la route disparaître en vous tandis que vous avancez. En fait, voyez la route et le paysage bouger autour de vous, et entrer en vous alors que vous demeurez stable. Vous êtes le

« néant » solide et constant autour duquel le monde phénoménal apparaît.

Cette expérience peut souvent être induite en pointant le doigt vers le mur opposé lorsqu'on se trouve assis dans une pièce, et en enregistrant ce qu'on voit. On baisse alors le doigt toujours tendu pour le faire pointer vers le sol, en le rapprochant des pieds. A partir des pieds, tout en continuant à pointer du doigt, on le fait remonter le long des jambes, du tronc, puis arrivé juste au-dessus du sternum, on enregistre ce qu'on voit exactement. Si l'on dit « Mon visage », c'est une spéculation intellectuelle, un « on-dit », et par conséquent précisément ce qu'on veut éviter. D'après la seule autorité véritable, l'expérience personnelle, il n'y a rien à voir lorsque le doigt monte plus haut que la poitrine. On voit le doigt pointer vers le vide, et rien de plus.

Bien que cela puisse sembler ridicule selon les modes de pensée conventionnels, du point de vue de l'expérience c'est une tout autre affaire, et c'est peut-être le moyen le plus rapide qui existe de faire l'expérience du « Zen ».

Postures

L'occultisme oriental s'adonne à des postures très complexes mais en Occident tout travail occulte peut-être réalisé grâce aux quatre postures fondamentales — et élémentaires — que sont les positions allongée, assise, agenouillée et debout. Chacune d'elles est appropriée à des activités particulières. On se tient debout pour la pratique rituelle ; on s'assied pour la méditation ; on s'agenouille pour la prière et l'on se couche pour certains types de voyages astraux ou de communication intérieure.

L'étudiant vraiment sensitif, ayant un certain sens de ce qui convient du point de vue ésotérique, devrait sentir à quel moment chacune d'elles est particulièrement opportune. Tout ce qu'il faut en dire est que la colonne vertébrale devrait rester bien droite en toute circonstance, au contraire des postures qu'adoptent fréquemment ceux qu'on voit prier à l'église, affalés comme des sacs de pommes de terre contre le banc devant eux.

Les tableaux figurant les Chevaliers de la Table Ronde qu'on voit agenouillés durant la veille, tels que les ont représentés les artistes victoriens, montrent le type de posture adéquate pour s'agenouiller. Les dieux égyptiens sont l'illustration de la meilleure position assise, les avant-bras le long des cuisses, celles-ci étant au même niveau l'une par rapport à l'autre, les pieds bien à plat sur le sol ou sur un tabouret, si nécessaire, pour qu'il soit plus confortable de garder les genoux joints.

En position allongée, il vaut habituellement mieux poser les mains sur le plexus solaire. En posture debout on doit trouver un équilibre, et on y arrive plus facilement d'ordinaire en plaçant un pied immédiatement derrière l'autre de manière à former un angle droit, et en collant les mains paume contre paume, doigts tendus vers le plafond, en effectuant de légères pressions des avant-bras tenus horizontalement devant soi. Le confort et l'équilibre sont les mots clés de toutes ces positions.

De manière générale, pour fermer l'aura, ce qui convient mieux dans la plupart des travaux d'ordre subjectif, les chevilles sont croisées et les mains serrées l'une contre l'autre. Pour ouvrir l'aura, c'est-à-dire pour transmettre ou recevoir de l'énergie, il faut décroiser les pieds et séparer les mains. En plaçant les mains sur les côtés, légèrement en arrière, on gagnera un surcroît de réceptivité ; en pointant le doigt, on obtiendra une projection, et en présentant la paume vers l'avant on aura une radiation.

Certains des exercices les plus simples du yoga sont excellents pour leur valeur de conditionneurs physiques et il est facile de les trouver dans n'importe quel texte d'introduction sur ce sujet. Ils aident à conserver la souplesse de la colonne vertébrale, qui est un canal important pour les forces occultes. Les exercices faisant intervenir des contorsions compliquées ne devraient cependant pas être pratiqués par la plupart des étudiants occidentaux.

Création de maquettes

L'utilisation des mains est un auxiliaire important et souvent sous-estimé de l'entraînement occulte, et c'est un principe très valable pour quiconque est à la recherche de la connaissance supérieure que de pratiquer aussi un travail manuel afin de préserver l'intégration à tous les niveaux.

Sur le plan émotionnel et mental, l'appréciation qu'on a de l'art préservera également la vivacité des émotions, et la pratique d'une discipline mentale exigeante, comme les échecs, le bridge, les mathématiques ou la logique rendra l'esprit souple et résistant.

Le manque d'attention accordé à ces précautions est responsable d'une grande part de la sentimentalité fadasse et du flou intellectuel malheureusement si répandus en marge de l'occultisme digne de ce nom.

Pour des raisons identiques, l'occultiste devrait aussi entretenir des liens familiaux normaux et cultiver à fond ses relations sociales ; il n'y a pas de place pour l'individu inadapté qui considère ses idiosyncrasies comme un label de supériorité sur ses semblables. Là encore, un vif intérêt pour des domaines n'ayant rien à voir avec l'occultisme créera des relations sociales épanouissantes et équilibrantes pour la personnalité — et il est aisé de perdre son équilibre lorsqu'on accède à des niveaux plus profonds de ce domaine. Heureusement, les types de personnalités plus fragiles et naturellement instables ont rarement la capacité de parvenir à de tels niveaux.

Les mains et les doigts possèdent une sagesse qui leur est propre, et qui ne peut être éprouvée qu'en les faisant travailler dans certaines directions liées à l'ésotérisme. Chacun devrait se laisser guider par ses talents personnels dans le choix d'objets à créer, mais des maquettes cartonnées en trois dimensions, par exemple, peuvent être fabriquées sans trop d'entraînement, et on s'apercevra qu'elles améliorent considérablement la compréhension, bien plus que le fait de consigner des notes dans des carnets, ou de faire des dessins en deux dimensions.

On peut créer la maquette de divers

concepts cosmologiques présentés dans différents manuels occultes comme « The Cosmic Doctrine » de Dion Fortune. Les maquettes tri-dimensionnelles de symboles ésotériques tels que l'Arbre de Vie peuvent aussi être composées à partir de morceaux de fil de fer et de boules de pâte à modeler. Ou vous pourriez concevoir la maquette du château du saint Graal ou d'un temple rituel, tels qu'ils sont décrits dans un livre ou d'après votre propre imagination. Les possibilités sont infinies.

Les solides platoniques

Les solides platoniques constituent de bons modèles de maquette, car ils comprennent des principes essentiels de la pensée et du symbolisme ésotériques, et ils sont faciles à réaliser à l'aide de carton. Ils sont cinq, et depuis l'époque de l'école pythagoricienne antique on les considère comme des représentations importantes des principes universels.

Ce sont :

le tétraèdre (4 faces triangulaires), qui représente l'élément du Feu ;
l'octaèdre (8 faces triangulaires), qui représente l'élément de l'Air ;
le cube (6 faces carrées), qui représente la Terre ;
l'icosaèdre (20 faces triangulaires), qui représente l'Eau ;

25

le dodécaèdre (12 faces pentagonales) représentant l'Esprit ou principe universel régissant les Eléments.

Le symbolisme dans lequel une branche recouvre les quatre autres est un principe fondamental de la philosophie ésotérique, car il représente la domination de l'esprit sur les quatre éléments de la matière, et on le retrouve dans le pentagramme, cette étoile à cinq branches qui est le symbole magique permettant de chasser les forces indésirables et d'exercer la volonté spirituelle du magicien. Il est aussi la rose centrale sur la Rose-croix, et sans aucun doute le point d'équilibre de n'importe quel *mandala* (ou figure de méditation à quatre branches qui forme une part essentielle de la philosophie jungienne).

Les éléments peuvent aussi être perçus comme des représentations des aspects de la conscience :

Air — l'intuition et les aspirations ;
Feu — l'intellect et les processus de la pensée ;
Terre — les sens physiques et la sphère des sensations ;
Eau — les sentiments et les émotions.

Les solides platoniques peuvent être fabriqués dans du carton colorié comme il convient, ou peint de couleurs vives. Nous nous permettons de suggérer le rouge pour le Feu, le jaune pour l'Air, le bleu pour l'Eau, et le vert pour la Terre. On dit communément que ce sont les couleurs

« actives » qui correspondent à ces éléments. Vous pourriez aussi faire l'expérience de colorer une autre série de solides platoniques avec les couleurs « passives », soit le pourpre, le bleu ciel, l'argent et le rouille. Ou encore tester l'effet d'une combinaison des couleurs actives et passives sur des faces différentes.

Le dodécaèdre, représentant l'esprit ou une synthèse universelle, pourrait avoir douze couleurs, une pour chaque face (les couleurs du spectre se divisent en douze teintes, comprises entre le rouge et l'indigo), qui serait éventuellement allouée à l'un des douze signes du zodiaque.

Les figures complètes donnent une portée considérable à la méditation de par le nombre, la configuration et les relations de leurs faces, de leurs côtés et de leurs angles.

Modélisme à partir des quatre éléments

Le modélisme réalisé avec des matériaux provenant des éléments est également un exercice utile en ce qu'il enrichit la conscience par des procédés inhabituels, et cette occupation peut avoir de réelles qualités thérapeutiques.

Le modelage à l'argile est un exercice particulièrement positif et équilibrant. Il ne semble pas du tout évident de modeler l'élément liquide, mais quoique ce matériau ne conserve pas sa forme, les enfants adorent « jouer avec l'eau », et il y a quelque chose qui apaise vraiment les émotions dans le fait de laisser traîner sa main dans l'eau, qu'elle soit stagnante ou vive. Au lieu de laisser tout le plaisir de l'eau aux enfants, essayez de découvrir cet élément (et vos propres émotions) en jouant avec.

Le même principe reste valable pour l'air, et là on entre presque dans le royaume de la danse ; le fait de réaliser des gestes et des pas dans l'air qui nous entoure peut aboutir à la prise de conscience d'un monde neuf de signification et d'expérience. Point n'est besoin d'être une ballerine pour apprécier le langage des mouvements et des attitudes corporelles, qui possède une sagesse et un mode de communication qui lui sont propres.

Le modelage avec le feu est une extension de ce que nous venons de voir, tout comme les enfants aiment brandir les tisons rougeoyants d'un feu de joie, ou lancer des pétards dans le noir. Un bâton d'encens est un « crayon à feu » parfait pour dessiner des formes scintillantes dans la pénombre ou dans l'obscurité.

Associer l'intention aux actes

Les activités ordinaires de la vie quotidienne peuvent être utilisées pour faciliter le développement occulte et spirituel. Chaque action extérieure est susceptible de faire l'objet d'un travail de la conscience, à des niveaux intérieurs.

Par exemple, lorsqu'on se lave ou qu'on se baigne, on le fait avec en plus l'intention de se nettoyer de ses impuretés, de ses erreurs ou de ses péchés. Lorsqu'on mange, c'est avec l'intention d'intégrer les bonnes choses de la vie, et les actions de grâce récitées avant les repas devraient faire partie de cette intention, au lieu d'être la formalité vide de sens qu'elles constituent le plus souvent.

Il en est de même des fonctions biologiques d'excrétion : on peut rejeter consciemment toute la matière usagée de l'âme. Des exercices tels que ceux-ci ouvrent la voie à la technique du travail rituel et lorsqu'ils sont pleinement compris et pratiqués à fond, ils représentent vraiment la forme suprême de magie rituelle car ils composent la pratique d'un rite couvrant la vie quotidienne vingt-quatre heures sur vingt-quatre.

Un exercice simple

Dans les moments de stress, quand tout semble aller de travers ou impossible à contrôler, un exercice simple consistant à réussir à agir en y mettant de l'intention peut s'avérer fort efficace.

Tenez-vous debout d'un côté de la pièce et localisez un point facile d'accès sur le mur opposé. Décidez de traverser la pièce et de le toucher. Faites-le. Puis tournez-vous et recommencez un certain nombre de fois jusqu'à ce que vous vous sentiez parfaitement calme et en pleine possession de vos moyens.

Aussi idiot que cet exercice puisse paraître, il est extrêmement efficace en ce qu'il vous place dans une situation que vous êtes réellement en mesure de contrôler, ce qui vous permet de reprendre de la confiance et des forces pour retourner à la difficulté originelle, avec une volonté et un courage neufs, et un meilleur sens des proportions.

Respiration par les pores

Lorsqu'on accomplit des exercices respiratoires on peut imaginer qu'on ne respire pas seulement par les poumons, la gorge et le nez mais par le corps tout entier, à travers les pores de la peau. On imagine le va-et-vient de la respiration à travers l'ensemble du corps. Il est impossible de se méprendre sur cette sensation.

On peut aussi isoler certaines parties du corps, comme les mains ou le plexus solaire, et imaginer que c'est là que toute la respiration s'effectue — en fait on peut choisir n'importe quelle partie de l'anatomie, l'estomac, le foie, les yeux, etc. Des exercices plus avancés comme ceux-là devraient être pratiqués avec précaution, du moins certainement au début, mais ils ouvrent la voie au contrôle des forces astrales et éthériques à l'intérieur de l'aura (ce qui est au fondement de la pratique magique), et en outre à l'art de guérir.

On peut associer la respiration ordinaire à l'exercice précédent ; en inspirant on imagine les forces bénéfiques pénétrer dans son corps et en expirant on visualise les éléments indésirables qui se trouvaient en soi s'écouler au-dehors.

Si vous préférez représenter cela par une lumière colorée, c'est possible ; c'est une pratique qui mène aux techniques de visualisation astrale. Il n'est certes pas nécessaire d'imaginer l'air expulsé chariant les déchets et les matières indésirables ; dans certaines opérations magiques on devient le médiateur de forces spirituelles et, à ce moment précis, on sent que l'air chassé des poumons, susceptible d'être dirigé, est rempli de qualités bénéfiques et curatives.

Vision éthérique

Le moyen le plus facile de développer la faculté de vision éthérique, qui ne nous est pas à tous naturelle, est d'essayer de voir les auras. On y arrive mieux, au départ, en allant dans les champs et en s'efforçant de distinguer celles des arbres, bien qu'on puisse le faire chez soi en observant des plantes en pot. Plus leur croissance manifeste de vitalité, et mieux c'est ; et un linge humide sur lequel reposent des épis de blé en germination est probablement plus révélateur qu'un vieux cactus ou qu'une vieille plante grasse à la croissance apathique.

La technique est fort simple. Il suffit de regarder vers l'objet mais sans exactement le fixer, en décentrant légèrement les yeux, et après un moment vous verrez une aura colorée autour de l'objet vivant. Entraînez-vous sur des objets variés, dès que vous y parviendrez facilement, pour discerner l'ampleur et les variations de couleurs des auras entourant ces différents objets.

Si cet exercice ne produit pas de résultats rapides, on peut stimuler ses facultés en s'entraînant à la vision des couleurs complémentaires. C'est-à-dire qu'on prend un petit morceau de papier de couleur vive et qu'on le fixe intensément, puis au bout d'une minute environ on fixe une surface blanche ou de couleur pâle et on verra apparaître la forme, dans sa couleur complémentaire. Il ne faut pas s'acharner sur cet exercice au point de se fatiguer les yeux, mais il sera profitable si on le pratique avec modération, surtout avant de s'essayer à la vision éthérique. (Les sections qui suivent traitant des *Tattvas* et du *contraste consécutif des images* reposent sur une extension de cette technique.)

Une autre manière de voir l'éthérique est de placer ses deux mains devant un espace sombre, disons, dans un tiroir ou une armoire, en faisant se toucher l'extrémité des doigts. Séparez lentement les mains et des ondes de lumière éthérique blanche seront visibles lorsqu'elles passeront d'un doigt au doigt opposé. Remuez les mains et les doigts pour voir comment le fluide éthérique s'en trouve affecté.

Les Tattvas

L'une des principales écoles occultes de la fin du dix-neuvième siècle, l'Hermetic Order of the Golden Dawn, recourait à ce qui était à l'origine un système oriental

33

permettant d'induire la vision éthérique. Il s'agissait de faire correspondre aux quatre éléments, plus à un cinquième supérieur aux autres, l'éther, cinq figures géométriques colorées :

un carré jaune	pour la Terre
un cercle bleu	pour l'Air
un triangle rouge	pour le Feu
un croissant blanc ou d'argent	pour l'Eau
un ovale noir	pour l'Ether (ou Esprit)

En Orient il existe un système complexe de division des heures diurnes et nocturnes en diverses marées correspondant aux éléments. Il n'est pas nécessaire d'entrer ici dans de tels détails qui, du fait de leur complexité, n'ont d'intérêt véritable que pour les spécialistes expérimentés, et qui ont en tout cas un équivalent occidental, le symbolisme planétaire. Ce que nous pouvons tirer de ce système, c'est la notion de cinq formes et de cinq couleurs fondamentales, qui favorisera le développement de la vision éthérique.

Cela consiste à utiliser la fameuse « illusion d'optique » qu'est l'image fantôme. Fixez le symbole de votre choix pendant à peu près une minute, puis une surface blanche. Vous verrez l'image de la forme que vous venez de contempler, mais dans sa couleur complémentaire.

Ce n'est pas à proprement parler la vision éthérique, mais cela se rapproche de l'impression qu'elle procure, et constitue un point de départ pour développer cette faculté et pour extérioriser des objets imaginés de manière vive. On peut alors passer à des figures légèrement plus compliquées en surimposant les symboles Tattvas les uns aux autres. Il existe vingt combinaisons possibles. Fabriquez toutes les combinaisons dans du papier coloré. L'Air de Terre, par exemple, est formé d'un petit cercle bleu surimposé à un grand carré jaune. La liste complète se compose comme suit :

Air de Terre : un cercle bleu sur un carré jaune
Feu de Terre : un triangle rouge sur un carré jaune
Eau de Terre : un croissant blanc sur un carré jaune
Ether de Terre : un ovale noir sur un carré jaune
Terre d'Air : un carré jaune sur un cercle bleu
Feu d'Air : un triangle rouge sur un cercle bleu
Eau d'Air : un croissant blanc sur un cercle bleu
Ether d'Air : un ovale noir sur un cercle bleu
Terre de Feu : un carré jaune sur un triangle rouge
Air de Feu : un cercle bleu sur un triangle rouge
Eau de Feu : un croissant blanc sur un triangle rouge
Ether de Feu : un ovale noir sur un triangle rouge
Terre d'Eau : un carré jaune sur un croissant blanc
Air d'Eau : un cercle bleu sur un croissant blanc
Feu d'Eau : un triangle rouge sur un croissant blanc
Ether d'Eau : un ovale noir sur un croissant blanc
Terre d'Ether : un carré jaune sur un ovale noir
Air d'Ether : un cercle bleu sur un ovale noir
Feu d'Ether : un triangle rouge sur un ovale noir
Eau d'Ether : un croissant blanc sur un ovale noir

Les éléments purs de par leur essence, Feu de Feu, Terre de Terre, etc. sont évidemment représentés par leur symbole de base, ce qui donne vingt-cinq symboles en tout. Ils peuvent être utilisés comme points de départ pour l'entraînement à la vision éthérique, mais aussi pour contempler le résultat de la combinaison des principes élémentaires.

Contraste consécutif des images

Une fois que la pratique des Tattvas est devenue un jeu d'enfant, on peut fabriquer des dessins abstraits ou des images figuratives composés exclusivement de deux couleurs complémentaires. Ces couleurs s'associent de la manière suivante :

rouge	et vert
bleu	et orange
jaune	et mauve
noir	et blanc

Le principe optique qui intervient veut que, comme l'image fantôme induite par n'importe quelle couleur est sa complémentaire, une image formée en tout et pour tout de deux couleurs complémentaires apparaîtra dans l'image persistante avec ces deux couleurs, mais inversées.

En outre, plus les couleurs se rapprocheront d'une réelle complémentarité, plus les éléments colorés seront entrelacés, et plus l'image abusera le mécanisme oculaire physique, et semblera « flasher ».

C'est un effet délibérément recherché dans ce qu'on appelle l' « Op-art », et qui survient aussi, dans certains cas, en relation avec un mot écrit, rendant le texte difficile à lire à cause de ce facteur d'inversion.

Dans sa fonction d'entraînement ésotérique il constitue un usage concentré et un développement direct des principes Tattvas dans l'apprentissage préliminaire de la vision éthérique. Si, alors qu'on s'exerce sur ces tablettes en les observant pour produire ensuite une image fantôme sur une autre surface, on ressent un picotement au centre du front, cela marque l'éveil d'un troisième œil ou centre *ajna*, l'un des centres psychiques ou *chakras*, dans le corps éthérique. N'abusez pas de cet exercice ; si l'on s'y attarde exagérément il peut causer une migraine douloureuse, mais considérez-la comme un encouragement, une indication qu'un certain progrès est accompli, et l'avertissement de ne pas tenter d'avoir un développement trop rapide.

Après s'être livré à l'expérience précédente, il est possible de travailler sur les phénomènes physiques, au moyen de l'imagination et de la volonté, en solidifiant et en renforçant graduellement ces rayons pour en faire ce qu'on nomme des « rayons rigides ».

On peut alors s'attaquer aux phénomènes physiques mineurs, en essayant par exemple de manipuler par la pensée la direction et le mouvement d'une allumette flottant dans un verre d'eau, ou d'imprimer des rotations, au moyen des rayons rigides, à une paille percée par une épingle elle-même plantée dans un bouchon de liège pour que le mécanisme fonctionne plus facilement.

Une fois qu'on y est parvenu, et ce n'est pas aisé (d'ailleurs tout le monde n'y arrive pas forcément) on peut tenter des expériences de difficulté plus avancée, comme de former un nuage à partir de la substance éthérique et de la mouler en une forme spécifique au moyen de la volonté et de l'imagination. C'est le type de démonstration qu'on voit à certaines séances spiritualistes. Il peut être modelé par la pensée et la volonté qui naissent dans l'esprit conscient ou inconscient des assistants, ou par des entités désincarnées présentes.

A un stade avancé on peut aussi obtenir la production de phénomènes propres aux séances de spiritisme, tels que le déplacement d'objets légers, la mise en mouvement de tables, des « raps », ou même des manifestations plus violentes, associées aux poltergeist.

La force de l'intention sur le métal

Un intérêt considérable fut suscité par Uri Geller et sa technique lui permettant de plier et de briser les petites cuillers et d'autres objets métalliques, par la simple force de l'intention. Une grande controverse en résulta ; certains avançaient qu'il s'agissait d'un tour de passe-passe, arguant du fait que Uri Geller était un illusionniste chevronné.

Quels que soient les mérites de ce cas, et que les illusionnistes puissent sembler produire des phénomènes similaires par des tours de passe-passe ou non, il est remarquable de noter qu'un certain nombre d'enfants réussirent à imiter ce geste rien qu'en y croyant et en essayant ! Si la foi peut soulever des montagnes il est envisageable qu'elle plie les petites cuillers. Le problème qui se pose à notre époque à la plupart des adultes intelligents, c'est d'accéder à une foi assez forte et assez pure.

D'autres types de phénomènes semblent possibles, et sont tout aussi dépourvus d'utilité. Une fillette italienne arrivait à retourner les balles de tennis, fait qui défie déjà les lois physiques et naturelles, sans parler en outre du fait que le vide interne de la balle était préservé. Elle perdit tout intérêt pour cette activité (et la capacité de la réaliser) lorsqu'elle atteignit la puberté.

Tout cela démontre simplement qu'il est des choses au ciel et sur la terre plus étranges que ce dont on peut rêver dans notre philosophie — et qu'on ne peut jamais savoir de quoi on est capable exactement avant d'avoir sincèrement essayé !

3

Exercices astraux

Le commencement et la fin de n'importe quel exercice occulte ou psychique devraient toujours être nettement marqués, car il importe que les phénomènes psychiques n'interviennent pas de manière incontrôlée à tout moment du jour et de la nuit. Si cela venait à se produire régulièrement il faudrait interrompre totalement le travail psychique pendant au moins trois mois. Un tel manque de contrôle peut toutefois être évité par l'usage de signes marquant le début et le terme de la séance, et qui ne sont que l'hygiène du travail occulte.

Le signe, rite ou rituel peut être aussi simple ou aussi compliqué que vous le désirez, mais étant donné la simplicité de ces exercices un signe élémentaire devrait suffire, comme par exemple le signe de la croix, ou le geste d'ouvrir ou de fermer des rideaux, ou bien encore la combinaison de ces signes. Un autre signe consiste à taper fortement du pied sur le sol après une expérience, pour indiquer la clôture de l'activité des facultés psychiques.

A un autre niveau on s'apercevra qu'une boisson chaude et un léger repas mettront effectivement fin aux facultés psychiques, et logiquement il serait bien sûr judicieux de n'avoir ni bu ni mangé immédiatement avant une expérience occulte.

Une expression ou mantram peut également être utilisée au début ou à la fin. Il suffit qu'elle exprime l'affirmation d'une intention, comme « j'ouvre le voile » ou « je ferme le voile ». Les noms ayant une connotation apparentée au pouvoir et les mots barbares employés pour l'évocation sont des possibilités comparables, mais dotées d'une plus grande puissance, où l'émotion et les intentions sont bloquées, et dépassent la portée de ce travail, quoique leur but et leurs mécanismes soient les mêmes.

Concentration

L'une des premières exigences de l'exercice occulte est l'aptitude à se concentrer. Plus tard on trouvera que l'imagerie occulte est si intéressante qu'il est très facile de parvenir à la concentration, en fait on y arrive inconsciemment. Cependant, il ne faut pas travailler seulement quand cela nous « chante » ; on doit être capable de se concentrer à volonté, et de faire le vide dans sa tête, comme un écran blanc sur lequel n'apparaissent aucune pensée, aucune image.

Le meilleur moyen pour ce faire est de se relaxer et — après des exercices respiratoires — de penser à un objet précis, comme une balle de tennis, ou une image plus complexe comme un échiquier. Il faut toujours aller du plus facile au plus difficile.

Quand vous réussirez sans peine à conserver l'image de l'objet à l'esprit pendant au moins dix minutes sans interruption, entraînez-vous à la chasser jusqu'à ce qu'il n'en reste plus rien, puis conservez ce vide à l'esprit. Là encore, exercez-vous jusqu'à ce que vous puissiez rester ainsi facilement pendant au moins dix minutes.

Si des images, des sons ou des pensées s'obstinent à s'infiltrer dans la conscience, bannissez-les de votre esprit d'un mot brusque prononcé mentalement ou à voix haute, comme « Non ! » ou « Va-t'en ! ». Le fait de persévérer dans ce rite dont la forme est des plus élémentaires s'avérera bien vite gratifiante.

Visualisation

Tout exercice astral s'accomplit au moyen de l'imagination. Il s'agit essentiellement de l'imagination visuelle, mais cela inclut aussi l'ouïe, et même les sensations imaginées du toucher, du goût et de l'odorat. La manière la plus efficace d'y parvenir facilement passe évidemment par la pratique, et une bonne méthode serait d'imaginer qu'on part se promener, et qu'on voit et qu'on ressent toute la nature environnante. La préparation préliminaire se composerait d'une séance de relaxation et des exercices respiratoires habituels, qui doivent être exécutés avant de s'attaquer à n'importe quel exercice décrit dans ce livre.

On peut imaginer qu'on se promène dans sa maison ou à l'extérieur. Il vaut mieux commencer par des scènes familières, puis passer à des réminescences d'expériences antérieures, ensuite à des scènes extraites d'ouvrages de fiction ; et pour finir, à des scènes créées de toute pièce par l'imagination.

Lorsque vous serez finalement capable de commencer à travailler sur un symbole occulte particulier — comme une carte de tarot — vous entrerez dans l'image et verrez quelles personnes et quelles scènes surgissent devant vous.

Tout cela fait intervenir deux techniques : d'abord, la visualisation active grâce à laquelle vous intégrerez des éléments à votre imagination, en gardant un contrôle parfait de ce processus ; et puis dans cette visualisation vous permettrez aux images de se présenter spontanément, et vous observerez leur déroulement. A partir de cet exercice dont l'importance est fondamentale, la majeure partie de l'occultisme astral se développe naturellement.

Le guide

Un développement de la technique de visualisation est décrit de manière complète dans l'ouvrage d'Edwin Steinbrecher, « Guide Méditation ». On commence par imaginer de façon aussi intense que possible qu'on pénètre dans un souterrain. On imagine ensuite un passage dans le mur de gauche, que l'on emprunte. Il tourne sur la droite et aboutit à une issue. Vous attendez là, observant le paysage imaginaire qui se présentera spontanément aux yeux de votre esprit. Un animal — peu importe son espèce — devrait alors venir à vous, et vous le suivrez où qu'il vous conduise. Il vous mènera à une personne qui, comme vous le découvrirez, s'avèvera être un guide efficace.

Tous les personnages visualisés dans cet exercice, et dans d'autres du même type, devraient être fictifs. En fait, la majorité de ces images sont des projections de certains aspects de votre propre conscience, et il serait trompeur et stérile d'utiliser des personnages réels pour masquer ces projections.

Vous devriez demander son nom au guide, observer le mieux possible les détails de son apparence, et lui demander de vous conduire à l'archétype du Soleil. C'est le symbole du centre et du noyau de votre être profond, et cela peut résulter en une expérience de nature religieuse très intense et encourageante. Laissez ce symbole prendre la forme qui apparaîtra spontanément, mais si un quelconque stimulant visuel est nécessaire, pensez au jeu de tarots, à la carte qui représente le soleil, où l'on voit un disque solaire souriant qui darde ses rayons sur deux petits garcons nus en train de danser dans un rond de sorcières, ou sur un garçonnet nu monté sur un cheval et portant une bannière.

En arrivant au terme de cet exercice, et en fait de tout exercice de cette nature, impliquant une aventure imaginaire, retournez sur vos pas jusqu'à votre point de départ, en l'occurrence l'extérieur du souterrain, et reprenez délibérément conscience de la réalité.

Avertissement. *Dans tous les contacts intérieurs de ce genre, utilisez votre discernement et votre sens des proportions. De telles techniques sont capables d'ouvrir l'accès à des zones de sagesse situées au plus profond de votre propre conscience, mais peuvent provoquer chez les personnes instables, crédules, ou vaniteuses des illusions et la folie. On a déjà vu des individus cherchant à glaner des conseils intérieurs sur des choses matérielles comme le jeu ou la bourse recevoir une dure leçon financière.*

En revanche, utilisées à de bonnes fins, ces techniques peuvent être équilibrantes et efficaces lorsqu'elles sont appliquées aux problèmes de la vie quotidienne. De même, tout message ou enseignement adressé à l'humanité en général, devrait être examiné avec minutie, bon sens et scepticisme. Des enseignements très profonds et énigmatiques ont été reçus par ce procédé, mais aussi une masse considérable de platitudes moralisatrices, venues des zones superficielles de l'inconscient. Elles ne sont pas nuisibles mais si ceux qui les reçoivent les prennent trop au sérieux elles peuvent faire paraître ridicules la sagesse supérieure, et le sujet dans son ensemble.

Création d'atmosphères

Ceci est un développement des exercices sur la respiration par les pores, dans lequel on imagine qu'à chaque inspiration, l'univers nous transmet un pouvoir qu'on transforme en une humeur particulière, et qu'on projette ce souffle dans un espace donné, comme la pièce où l'on se trouve.

Pour faciliter cet exercice, on peut se servir de divers symboles et de couleurs variées, mais vu qu'ils diffèrent quelque peu d'un système à l'autre, nous ne livrerons ici aucun détail spécifique, en précisant toutefois que n'importe quel symbole agira pourvu que les associations qu'il évoque nous conviennent.

Pour ne donner qu'un exemple, que la plupart des systèmes symboliques ne démentiront pas, vous pourriez imaginer qu'il émane de vous une lumière dorée, jusqu'à ce qu'elle emplisse la totalité de la pièce, et vous sentiriez en même temps en vous la faculté de guérir, et une impression de chaleur et d'amour. Avec de l'entraînement, l'atmosphère qui en résultera devra être aisément perceptible pour une personne entrant dans la pièce, surtout s'il s'agit d'un être raisonnablement sensitif.

Voici la mise en pratique du symbolisme solaire, dont la fonction est positive et stabilisante à tout point de vue, le soleil étant le centre et la source de lumière, de chaleur et de vie irradiant tout le système solaire, et donc un symbole vivant approprié pour représenter le point central créatif de la conscience.

Les attributs planétaires susceptibles d'être utilisés pour l'expérience sont :

Pourpre — Lune — perception psychique ; intuition ; atmosphère bénéfique ; grossesse ; croissance ; marées.

Orange — Mercure — activité intellectuelle ; bon sens de la communication ; travail ; voyages.

Vert — Vénus — bons sentiments ; relations harmonieuses ; amour.

Rouge — Mars — activité ; initiative ; analyse ; débat ; justice ; conclusion.

Bleu — Jupiter — stabilité ; organisation ; respect des lois ; autorité constitutionnelle.

Indigo (on le visualise plus commodément en le constellant de petits points de lumière, comme des étoiles) — Saturne — condition physique ; limitations ; lois ; argent ; propriété ; biens ; consolation de la douleur ; profonde sagesse.

Ce type d'exercice peut également être effectué de loin et constitue le *modus operandi* de certaines catégories de guérison à distance. C'est aussi la méthode employée pour charger des objets tels que des talismans ou des bijoux de force bénéfique, auquel cas il faut tenir l'objet dans sa main et se concentrer sur la respiration par les pores de la peau.

Composition d'un état d'esprit

De même que dans nos exercices de visualisation nous avons appris à construire la « composition d'un lieu », il faut être capable de construire la composition d'un état d'esprit, ce qui est assurément lié de très près à l'exercice précédent. En élaborant une série de symboles qu'on associe à des humeurs particulières, on peut ensuite induire l'humeur elle-même en visualisant le symbole. Cela peut se révéler très utile dans la vie de tous les jours lorsqu'on est soumis à des chocs et à des perturbations. Là encore, de tels systèmes symboliques varient mais une illustration en serait l'Arbre de Vie auquel la Kabbale fait allusion.

On peut aussi créer son propre système de signes physiques correspondant à des états d'esprit, comme la position des doigts, qui peut certainement être modifiée sans attirer l'attention ni susciter l'étonnement de ceux qu'on côtoie dans les activités quotidiennes, et qui se révélera une aide supplémentaire pour contrôler ses états d'âme. C'est en fait un aspect différent des techniques essentielles de la magie rituelle.

L'exercice que nous venons de voir peut également être associé à la suggestion auto-hypnotique, dont nous parlerons plus tard.

Gestes et position des doigts

On pourrait croire que la position des doigts constitue un moyen bien étrange et bien inefficace d'obtenir un résultat mais si l'on a travaillé avec assiduité à quelques exercices de modelage et compris un peu de la signification et de la portée des actes ritualisés, leur potentiel sera peut-être devenu apparent. Dans les danses orientales et le yoga, la position des doigts et de la tête est d'une importance considérable, et développée à un degré de subtilité extrême.

A un niveau plus terre à terre, quoique incarnant le même principe, on pourrait penser au garçon de bureau réprimandé par le patron, qui se remonterait le moral en « croisant les doigts ». Dans un contexte plus truculent on le verrait peut-être conserver son équilibre moral en faisant discrètement des gestes des doigts bien plus inconvenants !

Tout cela est un développement particulier du « langage corporel » dont on a récemment reconnu l'importance dans le domaine de la communication. Quoi qu'on dise en apparence, le corps, par son attitude, peut exprimer des opinions ou des émotions contraires. Il est bon, à ce propos, de feuilleter un manuel pour acteur. Il expliquera en détail quelles émotions sont exprimées par telles réactions physiologiques, qu'elles consistent à hausser les sourcils, à serrer les dents, à faire palpiter les narines, à plisser ou à écarquiller les yeux.

Ainsi que sainte Thérésa le disait, le désir de prier vient lorsqu'on en adopte l'attitude physique. Les organismes de formation à la vente ont fait des injonctions similaires à leurs stagiaires — agissez avec enthousiasme et vous deviendrez enthousiastes, et dominerez ainsi la sensation de dépression et les pensées défaitistes. En d'autres termes, la posture physique appropriée peut induire toute espèce d'émotion.

La pratique occulte a communément recours à ce principe qu'elle utilise comme prélude à la méditation, pour entrer dans un état d'esprit favorable, soit par le signe de la croix, pour stabiliser les émotions et les courants de l'aura, soit par un geste mimant l'ouverture de rideaux devant soi, libérant un passage que l'on traverse. De même le retour à la réalité au terme d'une méditation pourrait être confirmé en frappant des mains ou en tapant du pied.

Suggestion olfactive

La composition de l'état d'esprit peut être fortement influencée par l'odorat. On exploite ce phénomène par l'usage d'encens, dans certaines églises, bien qu'une bouffée d'ail provenant du banc placé derrière la personne dissiperait tout à fait le sentiment pieux qui a été induit. De la même manière, un parfum français ou une odeur de linge sale peuvent susciter des réactions émotionnelles puissantes, quoique fort différentes.

Pour favoriser la méditation, un parfum d'encens se répandant dans toute la maison est certainement très utile, bien qu'il ait fortement tendance à imprégner les vêtements, ce qui peut ne pas être toujours apprécié.

Il est possible, par une expérimentation personnelle, de se constituer une collection de bâtons d'encens, qu'on adaptera à des types particuliers de méditation. Les fournisseurs d'accessoires propres à la méditation ou à la magie tendent à en proposer un grand choix et une expérimentation de ce genre peut s'avérer intéressante. Ou bien on peut préférer trouver soi-même des parfums dans la nature, réunir de la gomme, des copeaux de bois, des feuilles ou des fleurs. La connaissance intime de la campagne qui viendra s'ajouter à cette expérience se révélera un « plus » enrichissant et gratifiant aux activités ésotériques.

Suggestion gustative

C'est un phénomène similaire à la suggestion olfactive, le sens du goût étant étroitement apparenté à l'odorat, et qui offre un autre champ d'investigations intéressant. Des sensations gustatives différentes peuvent, aussi bien que les odeurs, induire des états d'esprit. Là encore, l'expérience personnelle est préférable à une liste qu'on suivrait pas à pas. Le pain, le vin, la menthe, le sucre, le sel, l'eau, les fruits, les champignons provoquent tous des associations particulières de par leur goût, leur texture et le contexte auquel ils se réfèrent.

L'art de la mémoire

La mémoire est un art qu'on a bel et bien oublié avec l'avènement des matériels d'écriture peu coûteux, l'essor du livre et la lutte contre l'analphabétisme. Autrefois, c'était un art qu'on cultivait, en particulier les orateurs, grâce à une technique qui est dans une large mesure « astrale », ou liée à des images visuelles.

L'orateur avait à l'esprit une rue ou un bâtiment qu'il connaissait bien, et plaçait le long ou autour de cette rue ou de ce bâtiment, par la pensée, des objets représentant des points qu'il désirait traiter dans son discours. C'est de cette technique qu'est apparue l'expression « En premier lieu... En second lieu... », etc.

Ainsi, à supposer qu'on veuille mémoriser une liste de commissions, on visualiserait chaque article à un endroit différent en s'imaginant entrer chez soi. Un paquet de sucre sous la véranda, un chapelet de saucisses pendu au marteau de la porte, un bol de céréales pour le petit déjeuner sur le paillasson, un fromage en forme de parapluie dans le porte-parapluies, des tranches d'ananas sur les marches de l'escalier, et ainsi de suite.

Plus la juxtaposition de lieux et d'objets semble comique, hétéroclite ou inhabituelle, et mieux c'est, car ils ne s'en fixeront que mieux dans la mémoire. Dans la préparation de cet exercice, une visualisation claire et vive est tout ce qui est requis — les tentatives de verbalisation ou les procédés mnémotechniques sont contre-indiqués. Lorsqu'on a clairement visualisé cette scène dont on peut parcourir les séquences, il est possible de mémoriser une longue liste d'objets non seulement dans l'ordre, mais à l'envers.

Cette méthode est susceptible d'être considérablement améliorée, de sorte que des listes de 100, voire de 1 000 éléments, peuvent être mémorisées dans l'ordre ou dans le désordre. Voyez, par exemple, l'ouvrage de Harry Lorayne, « How To Develop A Super-Power Memory » (A. Thomas and Company), dans lequel il décrit les éléments de base de ses numéros de scènes spectaculaires.

C'est à la portée de tous ceux qui désirent l'imiter, s'ils sont vraiment décidés à s'y entraîner, mais il est intéressant de noter une réaction fréquente lorsque les gens entendent parler de cette méthode, et qui consiste à dire que cela semble trop abracadabrant, trop extravagant pour être vrai. Pourtant, il suffit d'essayer pour s'en convaincre ! La caractéristique assez curieuse de bien des exercices et des pratiques ésotériques est qu'ils semblent bizarres ou illogiques selon les critères du bon sens, de telle sorte que la première réaction (et souvent la réaction définitive) des gens est de les rejeter en bloc, même si la pratique suffit à les justifier.

Ceux qui étudient l'occultisme pensent traditionnellement que l'âme poursuit une activité considérable durant les heures de sommeil corporel, mais qu'on ne s'en souvient habituellement pas.

Un moyen de développer la persistance de la conscience lors du passage du sommeil à l'état de veille, tel qu'il fut enseigné par le regretté W. E. Butler, magicien expérimenté et fort estimé, est de construire une chaîne symbolique.

Avant de vous endormir imaginez que vous vous trouvez devant une porte formée de deux pierres massives verticales recouvertes d'une troisième, horizontale, à leur sommet, un peu comme les dolmens de Stonehenge et d'autres cercles de pierres antiques. Entre les deux pierres verticales visualisez un voile multicolore. Celui-ci est divisé en deux parties égales. Empoignez par la pensée chaque pan du voile en tenant vos mains contre votre cœur, puis écartez-les en étirant vos mains et vos bras sur les côtés. Dans les confréries ésotériques on appelle ce geste le « signe de Celui qui entre ».

Voyez un paysage désertique devant vous avec, à proximité, un temple entouré de hautes murailles. Dirigez-vous vers celui-ci et entrez dans l'enceinte, où vous trouverez un jardin. Ne pénétrez pas dans le temple même, restez assis dans le jardin. Efforcez-vous de vous endormir en gardant à l'esprit cette situation imaginaire, combinée à l'intention de retourner à la conscience réelle, après le sommeil, en empruntant la porte de pierre.

Le succès d'une telle expérience dépend de votre obstination et comme dans la plupart des expériences astrales de ce type, viendra plus vite pour certains que pour d'autres. C'est une technique parfaitement inoffensive, mais qui devrait être employée avec modération du fait qu'il peut être fatigant de maintenir ainsi la persistance de la conscience.

Une expérience temporelle

C'est une expérience similaire, liée au sommeil, et qui peut également s'avérer éprouvante si on la prolonge pendant une trop longue période. Elle est décrite dans son entier par son inventeur, W. J. Dunne dans « An Experiment with Time ». La théorie de Dunne était que nous rêvons de l'avenir autant que du passé. C'est pourquoi il propose une expérience consistant à noter tous les rêves qu'on fait, même les plus fragmentaires, immédiatement au réveil. En retarder la rédaction peut amener à en oublier un grand nombre, aussi est-il indispensable de laisser un bloc-notes près du lit. Avec l'habitude, la faculté de se souvenir des rêves s'améliore aussi.

Vous devriez alors analyser ces fragments de rêves pour découvrir combien d'entre eux contiennent des images qui sont le souvenir d'un passé récent, c'est-à-dire la veille ou l'avant-veille. Dunne s'est aperçu que certaines personnes se réveillaient avec le souvenir d'images faisant partie de la vie quotidienne non pas des deux jours précédents, mais des deux jours à venir. En d'autres termes, nos rêves sont partiellement des « souvenirs » du futur !

Dunne a formulé une théorie du temps fondée sur les résultats de ses expériences, dans laquelle il met en évidence l'idée de ce qu'il appelle un « univers sériel ». Ce n'est pas des plus aisés à comprendre, à moins d'avoir des dispositions pour les mathématiques et la philosophie, mais les preuves expérimentales peuvent être obtenues par toute personne désireuse d'y consacrer le temps et l'effort nécessaires, en gardant l'esprit libre de tout préjugé inspiré par un prétendu « bon sens ».

Identification

Cet exercice consiste à vous identifier à un objet. Essayez de transférer votre conscience au centre exact de l'objet et de ressentir ensuite à quoi cela ressemble d'être véritablement cet objet.

On peut commencer par des corps inanimés comme une table ou une machine à écrire et progresser vers des organismes vivants, comme des fleurs, des arbres, et même des animaux et des personnes. Cependant, quel que soit l'exercice astral, on ne devrait jamais tenter de s'identifier ou de projeter de la force à une personne sans son accord et sa connaissance des conséquences que cela peut impliquer.

L'identification est là encore une préparation à des techniques plus poussées d'invocation, où l'on revêt la forme d'un dieu particulier — une forme égyptienne, d'ordinaire, mais on peut en choisir d'autres — ou d'une image télesmatique dans un groupe de travail rituel, où l'on s'identifie à un Messager, un Gardien, ou un Hiérophant archétypaux.

Cet exercice est également une préparation à certains genres de projection astrale où l'on s'identifie à une image idéalisée de soi-même, qu'on a projetée dans son imagination. Les légendes d'enchanteurs et de sorcières se transformant en animaux sont sans aucun doute le vestige d'un usage particulier de ce type d'exercice.

Utilisé au mieux, ce peut être une identification au Christ dans sa vie quotidienne, qui est l'illustration d'une rencontre entre la prière et l'exercice occulte provoquant l'incompréhension et la confusion de ceux dont l'expérience pratique ne repose pas sur la combinaison de ces deux manifestations.

Clairvoyance

Le meilleur moyen de développer la vision clairvoyante des événements qui surviennent, de manière physique, en un autre lieu, est d'imaginer qu'on regarde au travers d'un long tube. Construisez solidement l'image de ce tube, dont une extrémité s'adaptera à vos yeux et l'autre se prolongera par-delà l'espace jusqu'à l'endroit de votre choix, l'une des pièces de la maison d'un ami, par exemple. Notez ce que vous y distinguez, si quelqu'un s'y trouve, et vérifiez par la suite pour savoir si votre vision était correcte.

La plupart de ces techniques psychiques constituent en fait autant de moyens de communiquer avec le subconscient qui est la source d'un grand nombre des résultats obtenus. Il sert toutefois également de mode de communication à notre esprit supra-conscient et à celui des intelligences extérieures, par la voie de l'inconscient collectif. Aussi, même s'il arrive qu'on obtienne un grand nombre de matériaux de peu de valeur, les techniques ont une réelle importance pour ceux qui sont assez doués pour les approfondir, et qui possèdent la logique et le discernement qui leur permettent d'en faire un usage intelligent.

Des objets naturels peuvent aussi servir à véhiculer de tels phénomènes, les images dans le feu remplaçant la boule de cristal, ou le bruissement du vent dans les arbres ou sur le rivage venant se substituer au bruit perçu dans un coquillage. Méfiez-vous cependant de l'utilisation quotidienne des techniques psychiques et agissez toujours avec la ferme intention de marquer le signal de départ et de fin de ces facultés. Un usage négligent et incontrôlé peut transformer les serviteurs efficaces qu'elles étaient en des maîtres pervers.

Les exercices qui précèdent sont ceux qui importent dans tout système d'entraînement occulte, et devraient composer le fondement du travail de l'étudiant sérieux. Ceux qui suivent sont plus dans la nature de techniques secondaires reposant sur des talents ou des spécialités utiles, mais qu'on ne devrait pas laisser empiéter sur la ligne de progression principale.

La boule de cristal

C'est une autre forme de clairvoyance. Il n'est pas nécessaire d'acheter une vraie boule, qui peut coûter un prix exorbitant si l'on recherche la qualité. N'importe quelle surface réfléchissante comme une bouteille emplie d'encre rendra tout autant service. Si on utilise une boule de cristal on la placera contre un fond noir.

La technique consiste à s'asseoir devant la boule, à une trentaine de centimètres, en laissant un éclairage tamisé baigner la pièce. Regardez la boule mais sans forcer. L'esprit devrait rester vide, les yeux ne se perdant pas dans le vague, mais ne fixant pas vraiment la boule, ne tentant pas d'en distinguer l'intérieur, mais ne la quittant pourtant pas de vue. Il est parfaitement normal de cligner des paupières. Si vos yeux se mettent à larmoyer, vous devriez interrompre l'expérience et vous reposer.

Avant qu'une vision n'apparaisse il arrive d'ordinaire qu'une brume gris foncé semble remplir la boule, ou s'interposer entre elle et vos yeux.

La persévérance est nécessaire, la séance étant tenue chaque jour à la même heure. Cinq ou dix minutes devraient suffire à chaque occasion.

Les coquillages

C'est une technique semblable à celle de la boule de cristal, mis à part que c'est la faculté auditive qui est utilisée. Il est bien connu que si l'on place à son oreille un coquillage — ou un objet creux quelconque — on entendra un souffle ressemblant au bruit du vent. On peut en placer devant chaque oreille, mais ce n'est pas obligatoire.

Entraînez-vous régulièrement à écouter pendant quelques minutes ce type d'effet sonore dans un ou plusieurs coquillages ou dans un objet similaire, et voyez si avec le temps vous distinguez une voix.

La radiesthésie

Une forme très connue de radiesthésie est l'utilisation d'une baguette de coudrier ou d'un instrument du même genre pour détecter psychiquement de l'eau ou des minéraux sous-jacents. Cependant on emploie aussi ce terme pour désigner le travail lié à l'emploi d'un pendule ; les gens vraiment doués sont capables de découvrir des choses en se servant d'un pendule et d'une carte routière. Le pendule peut être composé d'un poids simple, comme un objet personnel, une bague par exemple, accroché à l'extrémité d'un fil. Malgré (ou peut-être à cause de) sa simplicité, le pendule est un très bon moyen de communiquer avec le subconscient.

Il est nécessaire de concevoir un code simple, comme des balancements droits pour « Oui » et des oscillations circulaires pour « Non », ou l'on pourrait supposer que des balancements dans le sens ou dans le sens inverse des aiguilles d'une montre ont des significations différentes. Une alternative serait de laisser le pendule pendre dans la cavité d'un verre, si bien qu'en se balançant il tinterait contre les parois, et le nombre de tintements correspondrait à un chiffre ou à une lettre selon un code convenu d'avance.

La volonté consciente ne devrait jouer aucun rôle dans le balancement du pendule, et il faudrait tenir celui-ci de façon à ce qu'il soit immobile (d'habitude, on pose le coude sur la table). Bien évidemment, les mouvements réels ne sont pas dus à une cause extérieure mais proviennent des mouvements fractionnels du bras provoqués par le système nerveux automatique, transmettant la conscience.

Certains opérateurs posent des questions à leur subconscient, auquel ils attribuent un nom, comme « Georges », et ils

65

en viennent à entretenir avec lui des relations tout à fait amicales.

La plaquette Ouija

C'est un procédé dont le but est proche de celui du pendule, sinon que plusieurs personnes peuvent l'employer en même temps. Il se compose généralement d'un verre retourné sur une table lisse, au centre d'un cercle formé par les lettres de l'alphabet, avec des places supplémentaires pour « Oui », « Non » et « Douteux ». Chaque personne présente croise l'index et le majeur d'une de ses mains et place ces deux doigts sur le verre ; au bout d'un moment celui-ci commencera à se déplacer. On lui pose des questions, et on note les réponses.

C'est probablement le plus populaire des « jeux d'amateur » et on s'y livre souvent par désir de se divertir.

Est-il besoin de le préciser, les résultats sont d'habitude le reflet des circonstances. Mais il ne faudrait pas mépriser ce procédé pour autant, car il reste malgré tout une forme expérimentale légitime. Dans la mesure où il s'agit d'une technique de groupe, elle peut donner des résultats plus intéressants que ceux obtenus par un individu isolé car elle permet de disposer d'un meilleur « contenu inconscient » et d'une plus large puissance de travail dans le domaine des ressources intérieures.

Ecriture automatique

C'est encore une autre méthode permettant de communiquer avec le subconscient. Asseyez-vous dans une pièce partiellement plongée dans la pénombre, en adoptant une position confortable, l'esprit aussi réceptif que possible, et un stylo tenu sans crispation entre les doigts. On peut « raffiner » la méthode avec profit en imaginant la contrepartie éthérique ou astrale de la main et de l'avant-bras se séparer du corps physique. Et si l'on se place dans un état d'esprit réceptif, avec l'intention très nette de recevoir conseil et sagesse, après un moment il se peut que la main se mette à écrire.

En ce qui concerne les véritables « pros » la vitesse d'écriture est extrêmement rapide et de nombreuses feuilles de papier sont très vite couvertes de communications intelligentes. Chez le débutant il arrive toutefois que le progrès soit lent et qu'une masse d'inepties ou même de simples gribouillages soient le seul résultat des premières tentatives.

Une méthode d'écriture groupée est rendue possible par l'utilisation d'une planchette, qui est un système en forme de cœur pourvu de deux roues, une à chaque courbe du cœur, et d'un stylo dépassant près de la pointe. On pose légèrement les mains sur la planchette et on attend la communication.

Télépathie

Pour faire des expériences télépathiques, il faut être au moins deux ; l'un acceptant de jouer le rôle de l' « agent », et l'autre celui du « percipient » — quoiqu'il soit possible d'inverser les rôles en changeant de type d'expérience. Ils devraient s'asseoir à une certaine distance l'un de l'autre, l'agent imaginant une forme géométrique simple. Il s'avère parfois utile de dessiner la forme sur du papier afin de la contempler fixement. L'agent ne devrait pas « forcer » dans son désir de transmettre l'image.

La concentration et la confiance sont les buts à atteindre, ce à quoi on parvient mieux souvent en imaginant que le percipient a *déjà reçu le message*. Le percipient fait le vide dans son esprit et note toutes les images ou les impressions qui surgissent en lui.

Le succès ne sera probablement pas facile, bien que certains puissent s'apercevoir qu'ils ont un don télépathique. Les premières expériences devraient porter sur des figures géométriques élémentaires; après avoir obtenu un certain succès on passera à des images plus complexes.

Les messages télépathiques ne sont évidemment pas forcément visuels. Ils peuvent également prendre la forme de mots articulés, d'émotions ou d'humeurs, ou de pulsions poussant à commettre certains actes. La télépathie joue un grand rôle dans le travail occulte et est plus répandue qu'on ne le pense souvent de nos jours. Il existe aussi une forme supérieure de télépathie, qui fonctionne sur la base d'un contact entre deux intuitions. C'est la technique employée dans certaines formes de communication occulte entre adeptes des plans intérieurs et des plans extérieurs, et qui est développée de manière plus complète par des méthodes décrites plus loin dans ce livre.

Psychométrie

C'est la faculté de recueillir des impressions psychiques à partir d'objets physiques; des personnes expérimentées peuvent dire bien des choses de l'histoire personnelle d'un objet et de ceux auxquels il a été lié. Il s'agit véritablement de développer la facilité à exprimer les premières impressions quelque absurdes qu'elles puissent sembler; l'un des principes clés du travail psychique dit que la première impression ridicule est la bonne et que les pensées raisonnables qui viennent ensuite sont le fruit de l'imagination !

Cela mis à part, on peut entreprendre certains exercices, comme d'approcher les doigts d'un bol d'eau à la température du corps, les yeux fermés, jusqu'à ce qu'on en sente la proximité et que les doigts soient immergés. Ce n'est vraiment pas aussi aisé qu'il y paraît si la température est correcte.

Un autre exercice consiste à faire des paquets identiques de différentes pièces de métaux tels que le fer, le zinc, le cuivre, le laiton, etc. et à s'entraîner à les identifier. On peut aussi faire une tentative du même genre avec des morceaux de papier ou de carton de différentes couleurs. Une forme plus avancée de cet exercice serait de parvenir à reconnaître les objets à distance.

Influence sur les événements

Vous pouvez déclencher les événements en joignant l'acharnement à une visualisation claire et créative des faits. Diverses techniques sont susceptibles d'être utilisées à cette fin, comme l'élaboration d'expressions affirmant votre volonté, l'entretien de la ferme conviction que vous possédez d'ores et déjà l'objet que vous désirez ou que l'événement s'est déjà produit, et l'aide matérielle d'une carte totalement encadrée, et contenant l'image de ce que vous souhaitez obtenir.

Il importe que cette carte ne soit pas montrée aux autres à tort et à travers — c'est un instrument qui joue un rôle dans la stimulation du désir et de la visualisation, en fait, une sorte de talisman magique. Surtout, il vaudrait mieux ne pas tenter d'affecter des événements déterminants mais commencer par de petits détails.

En définissant précisément les limites de ce que vous voulez réussir, vous y parviendrez plus facilement. Lorsque les événements sont influencés par ces procédés il se produit invariablement une réaction naturelle, un genre d'oscillation du pendule psychique, tendant à ramener les choses au *statu quo ante.*

A proprement parler, il existe deux types d'autoprojection, l'éthérique et l'astrale. La première vous fait voyager dans l'éthérique et découvrir le plan physique et sa contrepartie éthérique, et la seconde vous projette dans votre corps imaginatif et vous fait prendre conscience du plan astral objectif.

Projection éthérique

On peut tenter de réaliser une projection éthérique, la plus difficile, en survolant tout le corps par l'imagination tout en désirant que la contrepartie éthérique de chaque membre se détache ou se libère jusqu'à ce qu'on sente qu'une séparation a lieu. On imagine ensuite qu'on se soulève du corps pour se diriger vers un lieu physique particulier.

La meilleure façon d'y arriver est de s'efforcer de progresser pas à pas, comme si l'on était encore retenu par les conditions matérielles du corps, plutôt que d'essayer de s'éloigner en un éclair — ce qui est possible lorsqu'on a acquis de l'expérience. Si jamais il vous arrivait de ressentir une perte de conscience, arrêtez l'expérience et retournez à votre corps physique.

Vous discernerez peut-être un câble solide reliant le véhicule éthérique à votre corps physique. C'est un véritable cordon ombilical, mais ne lui accordez pas trop d'attention car il vous ramènerait de force en arrière, vers votre corps physique — ce qui n'est pas mauvais en cas d'urgence.

La manière la plus efficace de réussir une projection astrale consiste à se représenter sa forme par la pensée et à la reconstruire à force d'obstination. Un miroir sur pied pourrait vous être utile, ou vous pourriez encore imaginer une silhouette idéalisée. Le fait de la dessiner ou de la peindre stimulerait votre imagination, si vous avez des talents artistiques. (Ne montrez votre dessin à personne, cependant.) Efforcez-vous ensuite de transférer la conscience du corps matériel à la silhouette projetée dans l'imagination.

Une autre méthode — que certains jugent plus facile — veut qu'au lieu de prendre la peine de construire un simulacre astral, on franchisse simplement l'enveloppe physique en faisant un pas pour entrer dans le corps astral — dans lequel bien sûr on se trouve déjà, de façon naturelle et permanente ! On y parvient mieux en fabriquant une porte ou un passage imaginaire (il faut juste, mais c'est essentiel, qu'il comporte deux piliers latéraux recouverts d'un linteau) et en sentant qu'on le traverse. Là encore, un entraînement régulier est indispensable si l'on veut obtenir de bons résultats.

Grâce à l'auto-hypnose on peut progresser de manière plus efficace que par l'auto-suggestion. Une bonne transe hypnotique légère peut être induite par l'emploi d'un métronome, qu'on place sur une étagère à hauteur des yeux, et dont on aura fixé le poids, recouvert d'une feuille d'aluminium pour le rendre brillant, au sommet du balancier.

A présent détendez-vous, fixez-le, et mettez-le en marche après avoir décidé de la durée de votre transe, comme vingt minutes, par exemple.

Vous pouvez alors donner des instructions à votre subconscient. Elles peuvent lui enjoindre de réagir de manière post-hypnotique à certaines images. Vous pourriez ordonner que si dans certaines circonstances de la vie quotidienne vous visualisez délibérément un tigre, en de telles occasions vous n'éprouverez aucun sentiment de peur, mais vous sentirez envahi par le courage et la confiance.

Les instructions qu'on désire donner devraient être élaborées avec précision au préalable, et il ne faudrait pas les énoncer sans avoir attendu un certain laps de temps après s'être donné l'injonction de dormir. De telles injonctions peuvent bien sûr être enregistrées avant l'expérience sur magnétophone — la sphère de l'occultisme offre de grandes possibilités aux procédés modernes.

Il ne faudrait attendre de la transe aucun effet extraordinaire ou étrange, mais une simple impression de bien-être et de profonde détente.

Souvenir des incarnations passées

L'exercice qui suit est une technique moderne dont nous sommes redevables à M. William Swygard (Awareness Techniques, PO Box 49, Wellesley Hill, Ma. 02181, U.S.A.).

Une méthode très similaire, bien que requérant la coopération d'une autre personne, est décrite par G. M. Glaskin dans son livre « Windows of the Mind », en même temps que le compte rendu des résultats expérimentaux. Son application à d'autres domaines d'investigation est décrite dans un ouvrage intitulé « Explorations of Consciousness », rédigé par un groupe de scientifiques et édité par Dennis Milner.

Pour commencer relaxez-vous totalement puis imaginez que vous grandissez de quelques centimètres en vous étirant par la plante des pieds. Après quelques secondes, reprenez votre taille normale puis recom-

mencez, en vous allongeant de trente centimètres. Recommencez encore une fois,
mais en vous sentant grandir depuis la tête,
puis étirez-vous complètement, comme un
ballon qu'on remplit d'air. Revenez à la
normale et refaites l'exercice, jusqu'à ce
qu'il vous paraisse facile.

Lorsque c'est le cas, enflez-vous comme
un ballon par la pensée et « voyez »-vous à
l'extérieur d'un immeuble de votre connaissance. Décrivez en détail l'aspect matériel du bâtiment. Puis rendez-vous rapidement sur le toit et regardez ce qui se passe
en contrebas. Décrivez ce que vous voyez.

Si la scène a lieu en plein jour, imaginez
la nuit pour juger de la différence ; si elle a
lieu de nuit imaginez-la durant la journée
et précisez ce qui a changé. Transposez-la
ainsi deux ou trois fois mais pour finir il
faut toujours qu'elle se déroule sous un
soleil radieux. Assurez-vous que c'est bien
vous qui, par votre volonté, la situez de
jour ou de nuit.

A présent décidez, vous qui êtes toujours
au sommet de l'immeuble, de revenir sur
terre et de faire tout en descendant un
retour dans le temps jusqu'à ce que, en
posant les pieds sur le sol, vous vous trou-
viez dans une existence antérieure. En
atteignant la terre ferme regardez vos pieds
et décrivez la manière dont ils sont
chaussés, et poursuivez votre description

en remontant le long de la jambe, puis du corps. Passez alors à ce que vous voyez et ce que vous ressentez. Cette description peut être communiquée soit à une autre personne, soit à un magnétophone.

Il est acceptable de passer deux ou trois vies en revue en une seule séance, mais on ne devrait certes pas exagérer. Une expérience complémentaire consisterait à ressentir la mort dans une vie particulière et à persévérer jusqu'à ce qu'on arrive à ce qui se passe après la mort. Cela ne présente aucun danger et les seuls effets pénibles seront un choc émotionnel si la mort a été violente.

On peut vérifier le bien-fondé de ces expériences en revoyant ultérieurement, après qu'un certain temps se fut écoulé, une vie déjà « visitée ». Si elle est valable, vous rencontrerez les mêmes détails, ou des détails qui ne seront pas contradictoires, alors que s'il s'agit d'un fantasme ou du produit de votre imagination il y aura évidemment des différences.

4

Exercices mentaux

Une bonne part de ce à quoi nous nous sommes intéressés dans le chapitre précédent est entrée dans la juridiction de ce qu'on appelle parfois le « psychisme inférieur », qui ne doit pas être méprisé pour autant, bien qu'hélas certains ésotéristes aient tendance à le faire. Il est vrai qu'une part considérable de ces phénomènes est plutôt dans la nature des petits talents de société ou des voies parallèles mais cela n'en exclut pas les avantages.

Mis à part leur valeur intrinsèque, l'âne a souvent besoin d'une carotte pour s'engager dans le long sentier du développement occulte. L'exercice le plus important pour le développement du psychisme supérieur ou domaine de la prophétie est la méditation, mais elle peut être très fastidieuse et ne donner aucun résultat apparent pendant quelque temps.

En outre, nous devrions ajouter que certains exercices astraux comme ceux qui concernent la respiration et la visualisation des forces circulant à l'intérieur de l'aura ont été exclus du programme de certaines écoles occultes à leur grand détriment, car c'est dans ce genre d'exercices que réside le pouvoir magique et il semble qu'il ne serve pas à grand-chose d'être illuminé par la sagesse supérieure tout en étant incapable d'agir du point de vue occulte.

Méditation

Il existe des formes variées de méditation et les pratiques qu'on désigne par le terme « méditations » à l'église seraient qualifiées avec plus de justesse de formes de prières. La technique qui fait l'objet de notre intérêt consiste à garder une idée à l'esprit et à lui en associer d'autres, sans toutefois en arriver à perdre de vue le sujet original. L'esprit devrait être ramené à l'idée principale sitôt qu'il commence à trop s'en écarter.

L'esprit tourne et retourne ainsi une idée clé et ce faisant il creuse un « puits » à travers les couches de l'esprit concret jusqu'à ce que, avec de l'obstination, un passage atteigne les niveaux mentaux intuitifs.

En méditant constamment sur les symboles occultes et religieux tels qu'ils ont existé à travers les âges, l'étudiant peut profiter d'un fond de sagesse intuitive, et en même temps y apporter sa contribution. De cette manière on peut acquérir de la sagesse sans recourir à des instructions orales ou écrites.

Naturellement, cette faculté ne peut être cultivée sans une pratique assidue pendant un certain temps, propablement plusieurs années, et la méthode d'apprentissage provoque parfois une lassitude qui peut paraître de plus en plus pesante, jusqu'au jour où sa valeur devient évidente à force d'expérience personnelle. Le puits creusé dans la conscience finit par devenir suffisamment large et profond pour qu'il ne soit plus nécessaire de s'astreindre quotidiennement à cette technique, car la sagesse supérieure est devenue à la portée de l'étudiant, qui n'a qu'à diriger son esprit dans la bonne direction.

Dans la terminologie orientale ce phénomène est connu comme la construction de l' « antakarana » entre l'esprit concret et l'esprit abstrait (ou intuition), l'Arc-en-Ciel de Sagesse reliant les mondes symbolisé dans la mythologie scandinave.

Au début, cependant, l'étudiant doit se contenter de suivre des associations dérivant du sujet de méditation original, sans s'attendre à des « flashes » d'images psychiques ou d'intuition. Le fait que les résultats obtenus semblent peu différer des idées qui viennent à l'esprit en temps normal ne devrait pas le décourager. Ses idées prendront de plus en plus de substance jusqu'au moment où elles deviendront des prises de conscience au véritable sens du terme, et ne seront plus de simples idées.

Une prise de conscience est une conception nette rendue concrète au point de devenir partie intégrante du fond d'expérience d'un être humain, et non une vague étincelle dans le monologue intérieur.

Salutation du milieu du jour

Un exercice secondaire visant à établir un contact avec la conscience supérieure consiste à essayer d'atteindre un état de souvenir automatique, à une heure précise de la journée. Après quelque temps, on devrait être capable de parvenir à cet état automatique au moment voulu, qu'on dispose d'une montre ou non, et en n'importe quelles circonstances. Etant donné que la quête occulte est une quête de la lumière, l'heure opportune est naturellement midi, ou celle où le soleil est au zénith.

On verra au début qu'on oublie très facilement cet exercice, mais cela fait partie de l'apprentissage. A la base c'est très simple. A midi on regarde vers le soleil et on salue mentalement Dieu et l'ensemble de la création. On peut visualiser en même temps un signe astral tel qu'une flamme pétillante, au cœur de ce qui correspond au soleil physique de notre système solaire, ou sentir un signe de croix se former en soi.

Cela dépend entièrement du goût et des habitudes, l'essentiel étant de s'exercer à se souvenir avec régularité et exactitude de cet exercice, qui ne prend que quelques secondes et peut être réalisé dans pratiquement n'importe quelle circonstance.

Le cube spatial

C'est un exercice qu'on peut conjuguer à la salutation du milieu du jour mais qu'il est bon d'utiliser pour ses qualités inhérentes quel que soit le moment. C'est une orientation de l'ego et ceux qui ont étudié la psychologie jungienne reconnaîtront qu'il s'agit en réalité d'un mandala à trois ou quatre dimensions. C'est aussi le fondement mental d'une grande part du procédé sur lequel repose le cérémonial magique.

Imaginez simplement que vous êtes le centre d'un cube, qui peut avoir n'importe quelle taille, et être même si grand qu'il contient l'espace entier. Considérez chaque face du cube comme un aspect de Dieu. On peut ainsi composer une petite litanie subjective qui dit « Dieu devant moi, Dieu derrière moi, Dieu à ma droite, Dieu à ma gauche, Dieu au-dessus de moi, Dieu au-dessous de moi » — le dernier point étant le centre même du cube, qui coïncide avec l'espace occupé par votre propre cœur.

Cette orientation de l'ego peut être rendue plus puissante encore si l'on prend bien conscience des divers attributs de Dieu en fonction de la face décrite. Ainsi celle du haut correspondra-t-elle au Dieu vers qui on lève les yeux ; la face inférieure, à Dieu qui vous guide ; la face arrière, à Dieu qui vous soutient ; celle de droite, à Dieu qui vous accompagne ; celle de gauche, à Dieu qui vous conseille ; celle du centre étant la présence de Dieu en vous. C'est encore un exercice occulte dans le cadre duquel on se trouve proche de la prière.

Récapitulation nocturne

Du fait que la sphère de l'occultisme est partiellement liée à l'étude de l'existence au-delà de la mort, il peut être utile d'accomplir durant notre vie certaines des tâches auxquelles nous serons confrontés après la mort, ce à quoi on arrive en passant en revue les événements qu'on vient de vivre. Les histoires de personnes qui, sauvées de la noyade, racontent qu'elles ont vu leur vie défiler devant leurs yeux ne sont que des bribes de ce phénomène qui peut aussi être l'un des aspects du purgatoire.

C'est pourquoi, vu que le sommeil n'est jamais qu'une sorte de mort atténuée, un exercice valable, à pratiquer chaque nuit au moment du coucher, consiste à parcourir les événements de la journée, un peu comme dans un film, mais en marche arrière, du soir au petit matin.

Il n'est pas nécessaire de s'arrêter sur une expérience de la journée et de porter sur elle un jugement moral, mais simplement de penser à chacune, et le fait de s'en souvenir dans l'ordre inverse brisera aussi, comme on s'en apercevra, le courant de ces pensées qu'on s'obstine à ressasser au risque bien souvent de faire de l'insomnie ou des cauchemars.

Retrait de la conscience

Après avoir fait la récapitulation du soir, vous devriez apprendre à dégager correctement la conscience du véhicule physique, ce qui s'avère parfois d'un grand secours au moment de la mort matérielle. Commencez simplement à ôter la vie du corps, en débutant par les pieds pour remonter graduellement jusqu'à ce qu'elle se trouve concentrée dans la tête. Cet exercice est une technique qui permet de franchir l'écart qui sépare les plans inférieur et supérieur, et qui existe en vertu de ce qu'en théologie on appelle la Chute.

Les deux derniers exercices, qui fixent l'attention sur la nature supérieure plutôt que sur l'inférieure, sont d'excellents modes de développement personnel. Les résultats obtenus sont sans commune mesure avec les efforts qu'il a fallu pour les produire, car l'esprit dans son travail nocturne œuvre dans la direction indiquée juste avant qu'on ne s'endorme.

C'est pourquoi le fait de concentrer son esprit sur les mondes supérieurs plutôt que sur des problèmes ou des désirs inassouvis résultera en une plus grande croissance spirituelle et en un rapprochement entre les aspects supérieurs et inférieurs de l'ego.

Cela n'exclut toutefois pas entièrement l'usage occasionnel de la technique qui consiste à délibérément penser à un problème avant de dormir afin de permettre au subconscient d'y travailler et d'élaborer une solution qui se présentera à l'esprit dès le matin.

En prévision du moment où il sera confronté aux suggestions de la conscience supérieure, l'esprit concret devrait disposer d'une bonne réserve d'images exprimant certaines idées supérieures. Il faudrait par conséquent entreprendre la lecture de la mythologie, car c'est dans les mythes et les légendes de toutes les races, surtout celle à laquelle on appartient, que résident les images et les archétypes qui sont au fondement de la communication de la connaissance supérieure.

Ce n'est pas une chose qu'on peut démontrer rapidement mais l'exercice est très agréable et vaut la peine qu'on s'y attache, pour sa valeur distractive et l'enrichissement qu'il apporte à l'imagination, mis à part les résultats ésotériques envisageables à long terme. Les livres faciles destinés aux enfants sont souvent meilleurs que les volumes érudits emplis d'analyses académiques.

C'est surtout le subconscient que nous désirons emplir d'images, et le subconscient ne s'intéresse guère aux joies de l'érudition. Il apprécie simplement une bonne lecture à la mode d'autrefois, pleine d'action et d'invention.

Livres cosmologiques

On peut également lire divers ouvrages cosmologiques, tels que « Cosmic Doctrine » de Dion Fortune, « Secret Doctrine » de H. P. Blavatsky, les traités d'Alice Bailey sur le feu cosmique (« Cosmic Fire »), « The Seven Rays » ou « White Magic », qui sont autant conçus pour entraîner l'esprit que pour l'informer.

Les conceptions très abstraites étendent les facultés mentales, et qu'on croie ce qu'on lit ou non, qu'on le garde en mémoire ou qu'on l'oublie, le simple fait de lire et d'essayer de comprendre possède une valeur ésotérique.

La psychologie jungienne mérite aussi qu'on s'y intéresse, de même que les contes de fées modernes comme l'excellente trilogie de Tolkien, « Le seigneur des anneaux », ou les œuvres de science-fiction de C. S. Lewis. Il ne faut pas mépriser la science-fiction, car c'est un mode d'élargissement de l'esprit, et on trouve bien des vérités dans les grandes envolées spéculatives !

Phrases clé

Cet exercice fournit le moyen d'extraire la substantifique moelle d'un livre ou d'une série d'enseignements, et son application est destinée dans ce contexte principalement aux ouvrages occultes mais il peut aussi bien être employé dans l'étude d'autres disciplines.

En parcourant le livre, efforcez-vous de sélectionner des phrases clé qui résument des sections ou des chapitres entiers. Soulignez-les ou notez-les. Cela vous offrira du matériel pour vos sujets de méditation et vous aurez de plus tiré le message essentiel du livre.

Les quatre mondes

Cet exercice ressemble au précédent, hormis le fait qu'il concerne non pas le mot écrit mais les objets de la vie courante qui sont tous dotés d'une existence selon les divers degrés de l'être, dont le plus bas est le physique, les suivants étant le formatif, le créatif, et le plus élevé, l'archétypal.

Par exemple, un balai qu'on observe est un objet physique ; les balais en général, dans leur diversité, depuis le simple balai de bouleau jusqu'aux aspirateurs sophistiqués, renvoient au degré formatif ; l'idée de balayer ou de nettoyer correspond au niveau créatif ; et le principe de la pureté est la source archétypale.

Ce type d'exercice, qu'on ne devrait pas

laisser se transformer en vague rêvasserie, est parfait pour créer un pont entre l'intériorité et l'extériorité de la conscience, ce qui est bien sûr l'un des buts essentiels de l'occultisme. On peut également pratiquer cette technique à l'envers, en prenant un principe afin de voir de combien de manières différentes il peut agir suivant les mondes, pour aboutir à divers objets physiques. Cet exercice est particulièrement efficace si l'on met l'accent sur les objets magiques, et tout spécialement le glaive, le bâton de commandement, le calice, et l'écu ou bouclier.

Divination

Le développement de l'intuition forme une part importante de l'entraînement mental de l'étudiant occulte ; on ne se rend pas toujours compte que de nombreuses techniques divinatoires sont de bons moyens de mettre l'intuition en pratique et de l'entraîner. L'aspect lié à la bonne aventure, quoique parfaitement valide, est habituellement celui sur lequel on insiste, ce qui tend à rabaisser et à faire paraître vulgaire une technique de développement personnel infiniment délicate et précise, et aux aspirations élevées.

Le mécanisme de la plupart des systèmes

divinatoires consiste à produire un modèle de l'univers — en utilisant le terme « univers » dans son sens d'environnement immédiat de tout problème particulier, quelle que soit son importance.

Les systèmes classiques sont les tarots, qui se composent de 78 cartes, ou le jeu de cartes ordinaire, dans lequel il y a 52 cartes, bien qu'on utilise parfois un paquet réduit. Le système chinois du Yi King comporte 64 hexagrammes dérivés de 16 trigrammes qui dérivent à leur tour de trois bâtons dont la polarité est positive ou négative.

La science complexe qu'est l'astrologie se fonde sur douze signes zodiacaux, douze maisons, dix planètes, plus quelques concepts plus abstraits tels que la Pars Fortuna, la Cauda Dragonis, etc. Le système un peu moins complexe de la géomancie joue sur 16 symboles, tandis que des techniques plus modestes comme la lecture dans les tasses de thé dépend de l'accumulation fortuite d'un nombre indéterminé mais relativement restreint des feuilles de thé.

Il apparaîtra que plus il y a de symboles, et plus une lecture détaillée ou complexe, fondée sur l'exercice de l'intuition sur des formes compliquées, sera possible. Les 78 cartes du tarot offrent un meilleur champ d'action à la subtilité et à la diversité que les 16 symboles de la géomancie ; il faudrait cependant préciser que le facteur personnel intervient et certains s'apercevront qu'ils travaillent de manière plus efficace en recourant à une méthode qu'à une autre, quels que puissent être les mérites respectifs de celles-ci.

En fait d'autres facteurs ont leur importance, comme la position dans laquelle les symboles se trouvent rapprochés les uns des autres. Ainsi, si l'on ne disposait que de quatre symboles, le nombre de séquences qu'ils permettraient de former irait jusqu'à vingt-quatre ; cinq symboles aboutiraient à 120 combinaisons possibles, et lorsqu'on arriverait à dix symboles, il faudrait bel et bien compter les combinaisons par milliers.

Attitude psychologique

L'attitude psychologique avec laquelle on aborde la divination est d'une extrême importance et les règles fondamentales qui suivent seront valables pour l'ensemble des systèmes.

D'abord, l'approche doit se faire avec une foi absolue dans la réussite de l'opération, un désir sincère de découvrir la vérité, en même temps qu'avec dévotion et révérence pour la fontaine de sagesse que représente l'oracle.

Ainsi, l'attitude sceptique qui met l'oracle au défi de faire ses preuves ne doit jamais apparaître. Il ne faut jamais le consulter à la légère, « histoire de rigoler », ou s'obstiner à exiger de lui des réponses à des broutilles, à des questions oiseuses. Si vous en êtes à vous dire « Que pourrais-je bien demander à présent ? » ne demandez rien — votre attitude est mauvaise, ce qui implique que bien des réponses risquent de l'être elles aussi.

D'autre part, il ne faudrait pas créer une atmosphère d'appréhension due à la possibilité de présages désagréables. Une confiance sereine et tranquille est indispensable. Dans ce but, on a souvent recours à une brève prière ou invocation adressée à la puissance cachée derrière l'oracle. La forme des mots n'est pas d'une importance majeure, du moment qu'ils expriment une intention et un respect sincère pour une source de sagesse, de pouvoir et de compréhension supérieurs aux nôtres.

Ne tombez pas dans l'erreur d'adorer ou de prier l'oracle ; ce serait de l'idôlatrie. Approchez-le plutôt comme vous le feriez d'un vieillard vénérable. Lorsqu'on consulte le Yi King, il peut être utile de visualiser une figure de ce genre, un vieux Chinois plein de sagesse, qui rappellerait assez Confucius. Quand ils emploient les tarots, certains visualisent une silhouette angélique (qu'on appelle traditionnellement « HRU »), mais on pourrait faire de même avec une forme féminine ou masculine inspirée d'une carte appropriée — disons, l'Ermite ou la Grande Prêtresse.

Sinon, quelques minutes consacrées à apaiser l'esprit et à contempler le fait qu'une grande réserve de sagesse existe réellement devraient suffire à le mettre dans la condition requise.

Comme dans d'autres types d'exercices occultes il sera également intéressant de choisir le même lieu et le même moment du jour pour consulter l'oracle. Le matériel de divination, qu'il s'agisse de cartes, de pièces, de pierres ou de bâtonnets, devra être soigneusement rangé lorsqu'il ne sera pas utilisé. Personne ne devrait être autorisé à le manipuler sans raison valable, et il ne faudrait pas l'employer à d'autres fins que la divination, quelles qu'elles soient.

Formulation de la question

La deuxième règle importante est de formuler clairement la question. Pour s'en assurer, même lorsque la lecture qu'on fait est personnelle (et en fait, surtout si c'est le cas), on devrait poser la question à haute voix, ou l'écrire. Cela permet d'être certain qu'elle est au moins assez précise pour être formulée verbalement, et non un désir nébuleux ou une vague curiosité.

La règle suivante est de vider son esprit tandis qu'on bat et qu'on manipule les instruments. De nombreuses personnes trouvent cela difficile ; elles devraient tenter de penser uniquement à la question concernée — mais sans émettre d'avis à ce sujet. Aucun problème dénué de rapport avec celle-ci, aucun état d'esprit, aucune émotion n'entrant pas en ligne de compte avec elle ne devrait interférer dans la pensée. Il faudrait se concentrer pleinement sur la question que l'on va poser.

La quatrième règle est une extension de la précédente : chassez tout préjugé, tout a priori de votre esprit en consultant l'oracle. Cela aussi est plus facile à dire qu'à faire, et c'est principalement pour cette raison qu'il est plus délicat de pratiquer la divination pour soi-même que pour les autres, même si, en lisant pour soi, on a l'avantage d'en savoir plus sur les éléments généraux de la situation.

Pour finir, on recommande traditionnellement de ne pas reposer une même question le même jour, et certainement pas à moins de deux heures d'intervalle, quoique

94

l'on puisse clarifier les problèmes découlant d'une question déjà posée.

Pour éviter la superficialité

Bien que les cyniques puissent dire que le but réel de cette règle est d'éviter de montrer que l'oracle donne des réponses différentes à la même question parce que c'est de toute façon affaire de hasard, elle agit comme une barrière contre les tentatives superficielles ou futiles. Un sceptique obstiné n'a guère de chances d'obtenir une réponse satisfaisante, quoi qu'il en soit ; son attitude psychologique efface automatiquement la *relation* nécessaire.

Nous sommes tous d'accord quant à la nécessité de mettre à l'épreuve les méthodes oraculaires, et bien trop peu a été accompli sur ce sujet. Il est improbable que celui-ci se prête aux conditions strictes de l'expérimentation en laboratoire que requièrent les disciplines des sciences physiques. Mais, tout en conservant une foi absolue au moment de la lecture, il est bon de noter scrupuleusement la manière dont les symboles sont tombés et l'interprétation qu'on leur a attribuée, puis d'attendre que le temps démontre si la réponse était juste, erronée, ou imprécise à certains égards.

Une telle analyse, faite *après* que l'événement se soit produit, est positive et nécessaire. Et dans cette circonstance, le scepticisme est préférable à la crédulité aveugle. Mais tant que dure la lecture, il faut y croire, et c'est ce à quoi les hommes de science ne parviennent généralement pas.

Le développement d'une méthode scientifique d'élaboration, de préservation et d'analyse de la transcription des mots est un point hélas négligé. Il aiderait pourtant à établir le bien-fondé de cet art et de cette science qui n'ont rien de physique et, en outre, il faciliterait considérablement la tâche de l'étudiant lui-même qui, en revenant sur une ancienne lecture, découvrirait qu'il a laissé passé un détail important, et qu'il n'a pas réussi à tirer les justes conclusions. C'est-à-dire que les événements ultérieurs auront prouvé que l'oracle avait raison, mais que l'interprétation était mauvaise. Il n'existe pas de meilleure école.

5

Exercices spirituels

Les exercices spirituels sont ceux dont on parle le plus facilement mais qu'on a le plus de peine à réaliser. Ils sont malaisés parce qu'ils ne sont pas aussi définis dans leurs objectifs que la majeure partie du travail occulte, et qu'ils menacent de plus d'ébranler la stabilité profonde de l'être, si bien qu'ils peuvent en fait apparaître moins comme des exercices que comme des idéaux difficiles à atteindre.

Les exercices spirituels sont toutefois essentiels, et l'on gagne beaucoup rien qu'à s'efforcer de les exécuter, même si l'on échoue bien plus souvent qu'on ne réussit. En fait, la faculté de « savoir perdre », c'est-à-dire, d'être capable d'accepter l'échec sans renoncer, pourrait être ajoutée à la liste des exercices spirituels que nous livrons ici.

L'aptitude à réaliser ces exercices parfaitement, bien plus que tout autre « mira-

97

cle » ou « don » spectaculaire, constituera la preuve qu'on connaît et qu'on maîtrise l'existence.

Absence de méchanceté

Le sceau qui authentifie l'humanité réelle d'un être, c'est sa douceur — ce qui ne veut pas dire qu'il manque d'esprit de résolution ; cela signifie qu'il adopte une attitude correcte vis-à-vis de ceux qui l'entourent, et ne se complaît pas dans la méchanceté, l'envie ou la crainte, que ces sentiments s'expriment de manière objective ou subjective. Il faut par conséquent se souvenir que les pensées et les sentiments comptent autant que les actes, car ils sont dotés d'une réalité à leur propre niveau, et se trouver dans l'environnement astral d'une personne qui refoule sa colère peut être absolument aussi horrifiant que d'être enfermé dans une cellule capitonnée avec un malade mental, quelque civile que puisse sembler, en apparence, son attitude extérieure.

Résolution

Un des attributs de l'esprit humain, c'est qu'il EST, et pour apprendre à le laisser s'exprimer on devrait décider de ce que l'on va faire, puis le faire vraiment. Une fois qu'une résolution a été prise, il faut la tenir — à moins que des éléments nouveaux ne jettent une lumière radicalement différente sur l'appréciation de la situation.

Cela n'implique évidemment pas qu'on se bourre de préjugés ou qu'on devienne bigot. L'une des difficultés que présentent les exercices spirituels, c'est que chacun a un côté négatif s'il est incorrectement appliqué. Le plan spirituel n'est pas qu'un royaume de lumière et de douceur, et encore moins le monopole d'incapables remplis de bonnes intentions.

Calme

C'est une autre caractéristique de la personne qui a atteint un bon niveau spirituel. Cela n'a rien à voir avec la passivité ou la froideur, mais implique la capacité d'agir et de garder la maîtrise de soi, sans « paniquer », s'affoler, ni se laisser submerger par l'indécision ou un manque de confiance en soi.

Pureté

La pureté par excellence est la pureté des intentions, on devrait donc examiner le moindre des actes qu'on a commis pour juger du motif sous-jacent. « La pire des trahisons c'est de bien agir pour une mauvaise raison », ainsi que le dit Thomas Becket dans l'œuvre de T. S. Eliot. Ce ne devrait pas être prétexte à de violents remords mais fournir l'occasion, simplement, d'une résolution de changer de comportement ou de motivations. L'acceptation de ce qui s'est passé et la recherche d'un moyen d'y remédier sans dramatiser la situation est la véritable manière d'affronter ses défauts ou ses « péchés », pour employer un terme passé de mode.

La repentance prônée par l'Eglise chrétienne primitive impliquait, au sens du mot grec de l'époque, le simple fait de changer dans son cœur, et non de se complaire dans l'humiliation de soi-même, qui est une forme détournée d'orgueil et de pharisaïsme.

On devrait également noter le sens précis du terme « pureté », qui a d'une certaine manière pris une connotation sexuelle ou morale à notre époque. Sa véritable signification renvoie à l'absence d'altération, de corruption d'une chose par une autre, et l'importance de cet aspect se trouve indiquée dans cette affirmation d'un sage : « Si ton œil est unique, ton corps sera empli de lumière. »

Coordination

Nombre d'étudiants soi-disant occultes tendent à manquer de coordination avec leurs semblables et les circonstances de la vie quotidienne. Cela s'applique également à ceux dont l'ambition spirituelle et la fierté sont encore plus grandes, et qui refusent de s'impliquer dans des relations humaines ordinaires et les responsabilités de l'existence.

Toute personne tournée vers le spirituel est capable de s'adapter à la société humaine dans laquelle elle se trouve, d'accepter les autres et de se faire accepter d'eux, et ne ressent nul besoin de se tenir à l'écart, coupée des autres en tant qu'individu, ou isolée dans un « groupe », quels qu'en soient les motifs apparents, qu'il s'agisse d'une prétendue supériorité ou d'un moyen de défense.

L'esprit dépasse ces généralisations complaisantes qui expriment une antipathie pour une race, une classe ou une croyance, ou des définitions empreintes de mesquinerie comme « banlieusard », « provincial », « prétentieux », « bourgeois », « intellectuel » et ainsi de suite.

Gratitude

Le développement d'un sentiment de gratitude pour les bonnes choses de la vie est une saine vertu spirituelle, et beaucoup de gens ont bien des raisons d'être reconnaissants. A son niveau le plus profond ce sentiment s'exerce à l'égard de tout ce qui peut survenir, même si ce n'était pas exactement ce que la plupart des gens jugeraient positif, car le mal et la malchance sont susceptibles de subir une transmutation grâce à ce type d'alchimie spirituelle qu'on appelle communément « l'action de grâce ».

Stabilité

Cette qualité réunit toutes celles que nous avons mentionnées, en ce qu'elle est « une lumière qui ne vacille pas », où toutes les vertus trouvent leur expression et leur application. Elle indique la manière d'appliquer les exercices spirituels, à tout moment, en cultivant une ferme vigilance quant aux différents niveaux et aux actes de son être.

Cela mène à s'identifier à un esprit plutôt qu'à se trouver assimilé à un véhicule inférieur, comme tant d'autres s'identifient, plus ou moins consciemment, à leur mentalité, leurs émotions, ou leur corps physique.

Imitation du Christ

La meilleure formulation d'un système de dévotion comprenant les aspects précédents est peut-être le traité de Thomas Kempis, « L'imitation du Christ ». Thomas était un chrétien véritablement initié et son livre est d'un tel pouvoir mystique que la seule lecture de cet ouvrage peut agir comme un stimulant spirituel et une protection contre les puissances des ténèbres.

6

La prière

L'endroit est mal choisi pour une longue dissertation sur les relations complexes existant entre l'occultisme et la religion, à propos desquelles il existe une grande confusion et beaucoup d'incompréhension. Il importe cependant que nous formulions clairement dans un ouvrage comme celui-ci la raison d'être d'exercices de ce type.

Les exercices occultes sont destinés à déclencher une prise de conscience des niveaux d'existence autres que le plan physique. Cela prend un certain temps, tout comme il faut du temps pour que le bébé et l'enfant apprennent les conditions d'existence et de connaissance matérielles. Toutefois, l'ouverture de la conscience et la capacité d'agir consciemment sur des plans supérieurs ne signifient pas automatiquement qu'on se rapproche de Dieu. Dieu est présent dans tous les plans et peut être aussi bien approché sur le plan physique

que sur tout autre plan, ou tout autre mode d'existence créée.

Se rapprocher de Dieu

La confusion qui s'est produite du côté occulte est due au fait qu'une grande partie de l'occultisme a des racines orientales, où l'on conçoit Dieu comme étant loin au-dessus de nous, tel un potentat sur son trône. C'était aussi la conception des Israélites, bien qu'ils aient développé une relation plus personnelle, ce qui est certainement l'un des facteurs du mysticisme juif, autre source d'occultisme moderne.

L'idée que Dieu est essentiellement loin au-dessus de nous a pratiquement abouti à faire croire qu'il faut, pour s'approcher de lui, des techniques initiatiques variées et un processus éducatif permettant d'agir en prenant conscience des divers plans intérieurs.

Cependant ce procédé, pour tout valable qu'il soit, n'a guère de rapport avec le fait de se rapprocher de Dieu. Son rôle consiste en réalité à intégrer les niveaux de son être propre, mais le « dieu » que l'on approche ainsi n'est pas tant le Dieu de cet univers qui est le nôtre que le « dieu » qui se trouve au centre de l'essence de chacun, et qu'on devrait vraiment écrire avec un « d » minuscule.

Le chemin qui va vers Dieu passe par la prière et une relation personnelle avec lui, quel que soit le plan considéré. Cela relève de la religion, et l'on verra qu'il n'y a réellement aucun point commun entre l'occultisme et la religion au sens pur de ces termes. La grande incompréhension qu'éprouvent les serviteurs de l'Eglise à l'égard de l'ésotérisme les a poussés à considérer d'un mauvais œil la pratique et la croyance occultes.

Occultisme et religion

Il n'est en tout cas absolument pas souhaitable de prôner un divorce total entre l'occultisme et la religion. Nous essayerons de les différencier de manière à les rapprocher en créant entre eux une relation véritable.

A présent, nous avons d'une part une relation fausse qui fait que les écoles occultes, en s'efforçant d'intégrer le Christ à leur conception des choses, sont en passe de devenir des sectes religieuses déconsidérées, et de l'autre l'attitude du clergé, rappelant un peu le chien du jardinier (qui ne mange pas de choux et ne laisse pas les autres en manger), qui croit que les occultistes énoncent touchant la foi des déclarations injustifiées, mal informées, et hors de propos.

Ce qu'il faudrait, c'est qu'il y ait une petite minorité des membres de l'Eglise — qu'ils soient prêtres ou laïcs — capables de fonctionner consciemment à tous les plans, comme l'occultiste a l'habitude de le faire.

Et cela implique aussi que tous les occultistes s'intéressent de très près à leur attitude envers Dieu, le meilleur moyen pour ce faire étant de prendre une part active à l'une des religions ou dénominations établies.

Héritage de la confusion

La tâche ne sera pas facile pour beaucoup de gens qui ont hérité de la confusion régnant dans les affaires occultes et religieuses, en particulier ceux qui possédaient au départ des sentiments religieux, mais qui ont été repoussés par une éducation dite religieuse — et l'éducation « chrétienne » des jeunes est responsable dans une large mesure du manque de pratique religieuse dans le monde d'aujourd'hui.

Disons simplement que les exercices présentés dans ce livre ne servent pas de substitut à la pratique religieuse, car ils concernent le développement ou l'éducation personnels, et sont en fait plutôt scientifiques que fondés sur la dévotion à proprement parler. Mais ces exercices ne sont pas tout, et il y a beaucoup à perdre si l'on abandonne toute relation personnelle avec Dieu et si l'on tente de se hisser jusqu'au ciel par ses propres moyens.

Cinq types de prière

Très brièvement, la prière consiste à penser à Dieu notre Créateur, le Créateur du monde où nous vivons, et il existe cinq manières de le faire.

1. Lorsque nous pensons à Dieu dans sa sainteté, c'est une prière d'*adoration* que nous adressons.

2. Lorsque nous songeons à quel point nos actes sont indignes de la gloire de Dieu et de l'exemple du Christ, notre prière exprime la *contrition*.

3. Quand nous évoquons les bienfaits dont nous sommes redevables à Dieu, notre prière est une *action de grâce*.

4. Lorsque nous espérons recevoir d'autres bienfaits de Dieu, notre prière est une *supplication*.

5. Lorsque nous souhaitons que d'autres personnes bénéficient de ces bienfaits, notre prière est une *intercession*.

Personne ne devrait laisser le soleil se

coucher sans avoir prononcé au moins une forme de prière, et disons pour finir que bien que l'occultisme et la religion proprement dits soient des entités séparées, personne ne peut réussir à atteindre les sommets du développement occulte sans entretenir une relation personnelle active avec Dieu.

Mais à l'inverse, ceux qui entretiennent une telle relation avec leur Dieu personnel — avec le Christ vivant — n'ont pas besoin de l'occultisme pour la sauvegarde et la salvation de leur âme. Ils n'ont tout simplement pas cette vocation particulière et spécialisée.

Systèmes d'entraînement spirituel

Il existe principalement deux méthodes d'enseignement spirituel, deux approches mystiques de Dieu : la *via positiva* ou voie positive, et la *via negativa* ou voie négative. On les dénomme ainsi parce que la première utilise des symboles pour approcher la réalité intérieure, tandis que l'autre — soutenant que tout symbole matériel ne peut être qu'une représentation inexacte d'une réalité transcendantale — n'en utilise absolument aucun.

Deux petits traités classiques se distinguent comme des illustrations de ces deux conceptions. « Les exercices spirituels de saint Ignace de Loyola » représente la voie positive, et « The Cloud of Unknowing », œuvre anonyme d'un mystique anglais du quatorzième siècle, est l'expression de la voie négative.

La méthode ignacienne est similaire dans son approche initiale aux techniques de l'imagination active qu'on trouve dans les exercices astraux occultes. On s'imagine prenant part à des scènes tirées de la Bible, comme s'il s'agissait d'une communication intime avec Dieu. On pourrait également choisir comme point de départ d'autres ouvrages de dévotion, par exemple la « Divine comédie » de Dante, qui livre en fait un programme complet de développement spirituel, couché dans la langue et selon le point de vue du Haut Moyen âge.

La méthode du nuage (« The Cloud ») s'apparente plus au *mantra yoga*, consistant à focaliser l'esprit sur une expression, ou en l'occurrence un mot, unique, qui représente Dieu ou s'adresse à celui-ci. On trouve une méthode légèrement moins rigoriste dans la « Prière à Jésus » de l'Eglise orthodoxe, composée de la répétition, dans laquelle doit passer un sentiment de conviction, de la formule « Seigneur Jésus-Christ, Fils de Dieu, ayez pitié de moi pauvre pécheur », et fréquemment accompagnée, comme les exercices mentaux et astraux, d'une respiration rythmique. Les partisans de la « prière à Jésus » affirment que les mots qui la composent contiennent ou impliquent l'essentiel de la sincérité spirituelle et de la foi chrétiennes.

Appendice

Le magnétisme personnel

La pratique du magnétisme personnel
est considérée avec une certaine hostilité
par de nombreuses personnes qui y voient
un désir de dominer les autres par la
volonté. Cependant, utilisée à bon escient,
elle n'a aucun rapport avec cela, car cette
technique contribue simplement à fortifier
la personnalité d'un individu et à l'aider à
jouer son rôle dans ses relations avec
autrui. Maintes personnes, surtout les êtres
« psychiques », ont besoin de toute l'aide
dont elles peuvent disposer pour se trouver
à égalité avec les autres, qui les dominent
aisément sans s'en rendre compte, car ceux
qui ont déjà une nature tournée vers le
psychisme et qui travaillent trop sur cette
faculté développent parfois un type de personnalité extrêmement passif.

Il faut aussi garder à l'esprit, en lisant ce
qui suit, les réalités et les contingences de
la vie sociale, au lieu d'imaginer un être

112

sans scrupule dominant tous ceux qui croisent son chemin par la puissance de son regard, pénétrant et hypnotique.

L'une des conditions essentielles de la pratique du magnétisme personnel, c'est d'être relaxé et de le demeurer constamment, et d'adopter une attitude psychologique positive en construisant au préalable une image de la personne ; puis lorsque celle-ci sera présente il s'agira de la regarder fermement dans les yeux — pas continuellement, bien sûr, ni de manière fixe ou hypnotique — lorsqu'on abordera des points importants.

Les yeux jouent un rôle absolument capital dans ce processus, et l'on peut les fortifier en s'entraînant à fixer ou à contempler un objet sans laisser le regard vagabonder, ni cligner des paupières, et, une fois qu'on y arrive facilement, en poursuivant avec des objets lumineux, bien qu'il ne faille évidemment jamais fixer directement une ampoule électrique ou une source de lumière, car cela pourrait abîmer les yeux.

Il est assurément essentiel que tout en regardant la personne vous projetiez votre volonté dans votre regard, toujours avec la tranquille certitude que cela doit influencer la personne à agir dans le sens que vous souhaitez.

Il faut en général éviter les gesticulations, car elles ont tendance à détourner l'attention du regard, mais on peut faire quelques gestes, de manière modérée, pour mieux affirmer son individualité. La posture est également importante, et particulièrement les conseils déjà donnés au sujet de l'ouverture et de la fermeture de l'aura à l'influence psychique.

Défense psychique

Certes, il arrive qu'on rencontre des gens ayant des personnalités très affirmées, et habitués à utiliser ces techniques — on dispose de moyens de s'en protéger. Les individus de cette espèce sont parfois d'un abord désagréable (c'est un peu l'équivalent psychique de la mauvaise haleine, et l'on considère qu'une attitude aussi crue, aussi exagérée relève des mauvaises manières — un peu comme si l'on soufflait au visage de quelqu'un.) Si une personne vous regarde fixement, essayant de vous imposer sa volonté, contentez-vous de concentrer votre regard sur un point situé entre ses sourcils, et vous lui ferez perdre contenance très rapidement et sans le moindre effort. Mais ne lui donnez pas l'occasion de capter votre attention en la regardant dans les yeux.

Une autre méthode consiste à imaginer

que vous êtes séparés par un épais miroir sans tain, un mur de briques, ou éventuellement des tondeuses en mouvement.

Une personne comptant parmi les connaissances de l'auteur, qui parvenait à ses fins en visualisant un fil reliant son front au cerveau de son interlocuteur, fut repoussée avec succès lorsque sa victime imagina que les lames d'une tondeuse à gazon sectionnaient le fil dans leur rotation. L'agresseur ne réitéra plus jamais sa tentative. Cette technique défensive offre l'avantage d'imaginer un objet en mouvement, ce qui est plus facile que de visualiser un objet inerte.

Imaginer une sphère de lumière bleue tout autour de soi est une excellente méthode de défense, mais on peut également imaginer un manteau bleu. Une bonne ruse serait de concevoir un geste rituel, comme de mimer qu'on enfile le manteau et qu'on rabat le capuchon sur sa tête. Un peu d'ingéniosité et d'entraînement démontreront qu'on y arrive aisément par le biais d'un mouvement qui passe aux yeux des autres pour une sorte de demi-haussement d'épaules, ou une ébauche d'étirement. Les exercices d'identification peuvent aussi être aussi adaptés à ce domaine pratique.

La force réelle

Bien que ces exercices aient leur raison d'être, la force véritable devrait émaner d'un niveau supérieur auquel on accède en s'ouvrant aux forces supérieures qu'on possède en soi, et qui sont développées grâce aux exercices contenus dans la dernière partie de ce livre, et aussi grâce à la foi, qui vient par la prière. Mais en tout cas le signe qui marque un parfait contrôle de soi est une totale relaxation physique, aussi faut-il être constamment attentif et vigilant sur ce point. Si l'on parvient à rester détendu dans des circonstances difficiles, la bataille est déjà plus qu'à moitié gagnée.

Il est également possible d'influencer les gens à distance, même s'ils se trouvent hors de notre champ visuel, en recourant à des techniques de clairvoyance. Cette pratique donne elle aussi lieu à bien des abus, mais nous supposons que ceux qui pratiquent ces disciplines ont le sens de leurs responsabilités et savent qu'ils auront un jour à répondre de leurs actes en ce domaine, quels qu'ils aient été.

En tout cas, la qualité pernicieuse de ces pouvoirs est fort exagérée, car l'effort requis pour obtenir un gain matériel dépasse le plus souvent, et de loin, le résultat.

Pour acquérir de l'expérience, on peut s'entraîner sur des amis ou même des animaux, dont on construit une image nette, puis qu'on *voit* par la pensée en train de faire certaines choses. Il importe, dans les exercices de clairvoyance, que seule votre volonté voyage vers le sujet ; votre conscience devrait rester fermement ancrée dans votre propre corps, et non s'extérioriser en même temps que la volonté.

Exercice défensif

Pour finir, nous incluons dans un but général un excellent exercice de défense auquel on peut recourir à tout moment, surtout en cas d'urgence. Au lieu d'essayer de se raidir dans un moment critique, le fait de prononcer le Nom induira un véritable équilibre si bien que quelle que soit la situation, on agira et on parlera spontanément comme il convient.

Le Nom se prononce Deay-Thu-Th. DE correspond à la prononciation française de la syllabe « di », et AY est représenté en phonétique par la diphtongue [ei]. Dans THU le « u » a le son d'un « ou » comme dans « doux », mais plus long, et le TH celui du fameux « thorn » anglais, prononcé en coinçant légèrement la langue entre les dents.

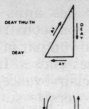

La première syllabe DEAY (qui représente l'équilibre de la matière) prend la
forme d'un triangle de lumière d'un bleu
vif et profond. Il commence au-dessus du
crâne puis descend en un éclair du côté
droit, suit la ligne de la nuque et remonte
jusqu'à son point de départ, au-dessus du
côté droit de la tête. On le fait descendre en
disant, sur une profonde expiration,
« Deay-ay-ay », formant ainsi un triangle
rectangle.

La syllabe suivante, THU (qui représente
la parfaite réceptivité) est également de
couleur bleu vif mais affecte la forme d'une
coupe au sommet de la tête. Prononcez-la
en prenant une profonde inspiration, et

soyez convaincu de recevoir toute la lumière possible.

TH est un son très doux, émis sur une expiration. (Il symbolise la transmission et le don total.) C'est un éclair de lumière qui traverse la tête, parcourt le corps à toute vitesse, pour s'achever du côté gauche, en spirale. Il est ressenti comme une pulsation.

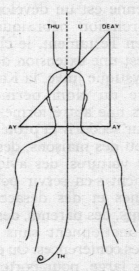

En résumé, DEAY-AY-AY se fait sur une forte expiration, THU sur une inspiration, et TH est exhalé en un soupir. Deay-Thu-Th est la forme araméenne du nom Jésus — l'araméen était la langue que parlaient le Christ et ses disciples.

L'Exercice du Nom, dans la forme que nous venons de présenter, concède le pouvoir de s'accorder aux trois aspects nécessaires si l'on veut remplir parfaitement son rôle en ce monde, à savoir l'Equilibre, la Réceptivité et la Transmission. Il est facile de les mettre en parallèle avec les trois Piliers de la sagesse dont parle l'enseignement kabbalistique. De même que la religion chrétienne est un développement de l'ancienne religion hébraïque présentée dans l'Ancien Testament, le christianisme ésotérique est une extension de l'ancienne tradition mystique juive, la Kabbale.

L'Exercice du Nom permet d'autres usages. Sous une autre forme il peut être employé pour secourir et protéger d'autres personnes, ou des maisons, des trains, des navires, des voitures, des avions, etc. On peut également s'en servir pour résoudre des problèmes et des désaccords surgis entre des amis, des parents, des voisins, ou pour que fonctionnent sans heurts des comités et des conférences. Ou encore, dans un sens plus large, pour porter assistance au monde en général.

Table des matières

Achevé d'imprimer en décembre 1985
sur les presses de l'Imprimerie Bussière
à Saint-Amand (Cher)

— N° d'édit. 128. — N° d'imp. 2983. —
Dépôt légal : janvier 1986.

Imprimé en France